最美童年 | 儿童启蒙版

第 1 卷

最美童年编委会 编

吉林出版集团有限责任公司

图书在版编目(CIP)数据

最经典中国寓言故事 / 最美童年编委会编. —长春：吉林出版集团有限责任公司，2013.7

（最美童年：儿童启蒙版）

ISBN 978−7−5534−2221−3

Ⅰ.①最… Ⅱ.①最… Ⅲ.①儿童文学－寓言－作品集－中国 Ⅳ.①I287.7

中国版本图书馆CIP数据核字（2013）第156187号

最美童年

最经典中国寓言故事

Zui Jingdian Zhongguo Yuyan Gushi

出　版　吉林出版集团有限责任公司（www.jlpg.cn/yiwen）
　　　　　长春市人民大街 4646 号，邮政编码 130021
发　行　吉林出版集团译文图书经营有限公司
　　　　　(http://shop34896900.taobao.com)
电　话　总编办 0431-85656961　营销部 0431-85671728
制　作　日知图书（www.rzbook.com）
印　刷　北京瑞禾彩色印刷有限公司
开　本　889mm × 1194mm 1/16
印　张　18
字　数　180 千字
版　次　2013 年 9 月第 1 版
印　次　2013 年 9 月第 1 次印刷
书　号　ISBN 978−7−5534−2221−3
定　价　88.00 元（全三卷）

【前言】

俄国著名作家陀罗雪维支曾经说："寓言是穿着外套的真理。"

大文学批评家别林斯基则说寓言是"哲理的诗"。

寓言故事大多数短小精悍、生动有趣，但故事中总是包含一些有关生活、做人、做事等方面的哲理。所以，读者在阅读寓言故事的过程中会不知不觉受到熏陶，自然而然联想到自己或是身边的人和事，反省反观，从而比较深刻地学得一些为人处世的道理。

本书根据素质教育的需求，从浩如烟海的寓言王国里，精选了中国文化发展史上150余条最经典的寓言故事，用简明规范、流畅优美的语言讲述出来，配上精美的手绘插画，又加了汉语拼音，呈现给小读者。这样的设计安排，不但有利于小读者掌握语文知识、拼音知识，更有利于他们养成勤于思考、善于想象的思维习惯，使孩子得到全面的提升。

相信本书中的每一则寓言都能触动小读者的心灵，带给他们趣味和快乐，带给他们启迪和感悟。也相信小读者会有意无意把其中几个或更多自己特别喜欢的小故事装在心里，而这些故事会像夜晚的星星，在他们需要的时候给他们照亮人生之路。

赠人玫瑰，手有余香。

愿孩子们喜欢！

目录

8 大鹏与焦冥
10 晏子之御
12 楚王好细腰
14 揠苗助长
15 校人烹鱼
16 庖丁解牛
18 东施效颦
20 井底之蛙
22 不龟手药
23 涸辙之鲋
24 扁鹊治病
26 滥竽充数
28 守株待兔
30 和氏献璧
32 郑人买履
34 心不在马
35 二人相马
36 棘刺母猴
37 画鬼最易
38 疑邻窃斧
40 黎丘丈人
42 穿井得一人
44 刻舟求剑
45 强取人衣
46 以不解解之

48 塞翁失马

50 亡羊补牢

52 海大鱼

54 画蛇添足

56 狐假虎威

58 惊弓之鸟

60 伯乐怜马

61 马价十倍

62 千金买首

64 朝三暮四

66 燕人还国

68 杞人忧天

70 愚公移山

74 纪昌学射

76 九方皋相马

78 余音绕梁

80 遇盗之戒

82 指鹿为马

84 枭将东徙

86 择人而树

88 叶公好龙

90 魏人钻火

91 对牛弹琴

92 大鳌与蚂蚁

94 后羿射箭

大鹏与焦冥

晏子是齐国有名的贤相。他很有学问，足智多谋，善于讽喻又敢于直谏，经常跟齐王一起议论国家大事或谈论学问。

有一天，齐景公和晏子坐在一起聊天。齐景公问晏子：“世界上有最大的东西吗？”晏子回答说：“有，是北海的大鹏鸟。它的脚踏入彩云当中，背部高耸入青天，而尾巴则横卧在天边。它在北海中纵身一跃，嘴巴便可啄饮北海，头和尾则充塞在天地之间。它的两只阔大的翅膀若是伸

展开，一眼都看不到尽头。”

齐景公惊奇地说：“世界上还有这么大的鸟啊！那么，世界上有最小的东西吗？”

晏子回答说：“有。东海有一种小虫，在蚊子的睫毛上筑巢，一代一代地繁衍生息。它们经常在蚊子的眼皮底下飞来飞去，可是蚊子却丝毫感觉不到。”

齐景公说：“真是太奇妙了！我还从没听说过这种新奇的事，那是什么虫子呀？”晏子说：“我不知道这种小虫叫什么名字，只听说东海边有些渔民称这种虫子为焦冥。”齐景公十分感慨地说：“世界之大，真是无奇不有啊！”

大鹏和焦冥，是人们想象中极大和极小的生灵。这个故事启示人们：我们对世界的认识和对知识的追求是永无止境的，要勤学多读，不断以新知识武装自己，以便解决工作、生活中的实际问题。

yàn zǐ zhī yù

晏子之御

yàn zǐ shì qí guó de chéng xiàng　yǒu yī tiān　tā yào zuò mǎ chē chū
晏子是齐国的丞相。有一天，他要坐马车出
qù　ràng chē fū wèi tā jià chē　chē fū de qī zi jiù cóng mén fèng li kàn zhe
去，让车夫为他驾车。车夫的妻子就从门缝里看着
tā de zhàng fu
她的丈夫。

chē fū zuò zài sǎn xià　yòng biān zi chōu dǎ zhe lā chē de mǎ　zhǐ gāo
车夫坐在伞下，用鞭子抽打着拉车的马，趾高
qì yáng　yuǎn yuǎn de jiù néng tīng dào tā de dà shēng yāo he　shǎn kāi shǎn
气扬，远远地就能听到他的大声吆喝：“闪开闪
kāi　chéng xiàng de chē zi lái le　chē fū huí lái hòu
开，丞相的车子来了！”车夫回来后，
qī zi duì tā shuō　wǒ bù hé nǐ zài yī qǐ le
妻子对他说：“我不和你在一起了！”

车夫很纳闷ル，就追问妻子："为什么这么说呢？"妻子说："晏子身高不满六尺，可是大家看到他都恭恭敬敬的，不是因为他个子高，而是因为他智谋深远，态度谦虚。而看看你，身高八尺，只是做了晏子的车夫，就已经骄傲得目中无人了，看来也没有什么出息。"

从此以后，车夫处处收敛，谦卑多了。晏子感觉自己的车夫进步很大，就问他怎么回事。车夫据实相告。后来这个车夫成为齐国的大臣，替国家出力，做了很多好事。

虚心使人进步。车夫听到别人提出的缺点，马上加以改进，这种精神是值得我们学习的。

楚王好细腰

楚灵王是春秋时期楚国的国君，特别喜欢臣子们有个细腰身。每当上朝时，他看到那些细腰的臣子婀娜多姿的样子，就会感到赏心悦目。而那些生得苗条柔弱的大臣也因此受到了楚灵王的提拔和重用。

这样一来，满朝的文武大臣们为了赢得楚灵王的欢心和宠信，便千方百计地减肥，拼命使自己的腰围变小。他们不约而同地注意节制饮食，许多人每天

只吃一顿饭，为此经常饿得头昏眼花，但也在所不惜。有的大臣更是摸索出了一套快速减肥的绝招，那就是在每天早晨起床穿衣时，做几次深呼吸，挺胸收腹，将气憋住，然后再用宽带将腰部束紧，之后才去朝见楚灵王。

等到一年以后，朝廷里的官员们个个都变得面黄肌瘦，弱不禁风。许多人甚至失去了独立支撑身体的能力，往往只有扶着墙壁才能勉强站立。

楚灵王以个人的好恶去规范大臣的行为，并以此决定亲疏，这就必然会引起下属臣僚的刻意逢迎。因此这个故事告诫人们：身居高位的人，如果有个人偏好，而且又不加以防范，往往就会造成歪风。如此上下互动，渐成风气，势必就会危害国家，毁掉个人。

揠苗助长

宋国有一个急脾气的人，他希望自家的禾苗快快长大，好早日吃到新米。于是，他天天去田里看，嘴里还不停地念叨：“禾苗啊，你倒是快点儿长啊。”

有一天，他想到，禾苗不是扎根在土里吗？要是我把禾苗都往上拔一拔，它们不就会长得快些了吗？说干就干。他马上把每棵禾苗都从土里往上拔一拔，又用土填好，然后回到家里，欣喜地对大儿子说：“差点儿没累死我啊，我今天帮禾苗长高啦！”他儿子赶紧去看，所有的禾苗都枯萎了。

俗话说“欲速则不达”，事物的发展自有它的规律，要是只凭着自己的良好愿望，很有可能好心做错事。

校人烹鱼

有人送给子产一条活鱼。子产是个善良的人，不忍心吃掉鱼，于是就叫管理池沼的小吏把鱼放到池里。

小吏的嘴巴可真馋。他想，这么活蹦乱跳的鱼，煎烤之后滋味一定很好，于是就把鱼煎着吃了。可是，他却回报子产说：“大人，鱼刚放到水里的时候，还显出局促不安的样子，但是没过一会儿，它就活跃起来，得意扬扬地游走了。”子产听了，十分高兴地说：“是呀，水里才是鱼的家。你做得很好。”于是赏给小吏一点儿银子。

小吏暗自好笑，走出来说：“谁说子产聪明，鱼早就进我的肚里了，他还说找到了合适的家呢！”

子产觉得鱼初放到水里时，局促不安，之后就活跃起来，这是很合情合理的事情。他轻易相信了小吏的话，而没亲自去看一看，结果上当受骗了。

庖丁解牛

梁惠王在宫殿里休息，忽然听到厨房里传来好听的音乐声。“啊？乐师干吗要在厨房里演奏呢？”好奇的梁惠王跑过去一看，没有乐师，只有厨师在切牛肉。梁惠王听得入了神，鼓掌称赞说：“真是好听呀！你的技术怎么会高超到这种程度呢，简直就像在弹琴呀！”

厨师放下刀子回答说：“陛下，您看见的只是整头的牛，我可不是这样认为的呀！”

“怎么会呢？”梁惠王上前摸了摸，问，“难道这不是牛吗？”

“不，在我看来，不是整头的牛了。”厨师耐心地解答说，“牛体本来的结构就是有缝隙的。我根据牛体的结构，把刀插入缝隙中，刀刃从来没有碰过经络相连的地方、紧附在骨头上的肌肉和肌肉聚集的地方，更何况大的骨头呢？”厨师得意地给国君看自己的刀：“技术高超的厨工每年换一把刀，是因

wèi tā men yòng dāo zi qù gē ròu jì shù yī bān de chú gōng měi yuè huàn yī bǎ
为他们用刀子去割肉。技术一般的厨工每月换一把

dāo shì yīn wèi tā men yòng dāo zi qù kǎn gǔ tou
刀，是因为他们用刀子去砍骨头。”

nín cāi cai wǒ zhè bǎ dāo yòng le duō jiǔ
“您猜猜，我这把刀用了多久？”

sān nián
“三年？”

chú shī yáo yao tóu
厨师摇摇头。

wǔ nián liáng huì wáng jīng yà jí le bù bù wǒ jiē zhe
“五年？”梁惠王惊讶极了，“不，不，我接着

cāi shí nián
猜，十年！”

xiàn zài chén de zhè bǎ dāo yǐ yòng le
“现在臣的这把刀已用了

shí jiǔ nián le zǎi niú shù qiān
十九年了，宰牛数千

tóu ér dāo kǒu què xiàng gāng cóng
头，而刀口却像刚从

mó dāo shí shang mó chū lái de yī
磨刀石上磨出来的一

yàng chú shī dé yì de shuō zhe
样。”厨师得意地说着。

yǒu de rén zuò shì qing hěn qiǎo miào bù
有的人做事情很巧妙，不

mán gàn suǒ yǐ zuò shì zǒng shì yòu kuài yòu
蛮干，所以做事总是又快又

hǎo zhè hé páo dīng jiě niú bù shì yī gè
好。这和庖丁解牛不是一个

dào lǐ ma
道理吗？

dōng shī xiào pín

东施效颦

chūn qiū shí yuè guó yǒu yī wèi míng jiào xī shī de měi nǚ tā de měi
春秋时，越国有一位名叫西施的美女，她的美
mào jiǎn zhí dào le qīng chéng qīng guó de chéng dù méi yǒu rén bù jīng tàn yú tā de
貌简直到了倾城倾国的程度，没有人不惊叹于她的
měi mào xī shī huàn yǒu xīn kǒu téng de máo bìng yǒu yī tiān tā de bìng yòu
美貌。西施患有心口疼的毛病，有一天，她的病又
fàn le zhǐ jiàn tā shǒu wǔ xiōng kǒu shuāng méi zhòu qǐ liú lù chū yī zhǒng
犯了，只见她手捂胸口，双眉皱起，流露出一种
wǔ mèi jiāo róu de nǚ xìng měi
妩媚娇柔的女性美。

lín jiā yǒu yī gè chǒu nǚ jiào
邻家有一个丑女，叫
dōng shī tā bù jǐn xiàng mào nán kàn
东施。她不仅相貌难看，
ér qiě jǔ zhǐ cū sú shuō huà cū shēng dà
而且举止粗俗，说话粗声大
qì yī diǎnr xiū yǎng yě méi yǒu dōng shī què yī tiān
气，一点儿修养也没有。东施却一天
dào wǎn zuò zhe dāng měi nǚ de mèng kě cóng lái méi yǒu
到晚做着当美女的梦，可从来没有
rén shuō tā piào liang
人说她漂亮。

有一天，东施看到西施捂着胸口、皱着双眉的样子博得了许多人的青睐，因此回去后也学着西施的样子，手捂胸口、紧皱眉头，在村里走来走去。哪知这丑女人的矫揉造作使她原本就丑陋的样子显得更难看了。村里人看见她这个样子，就躲得远远的。

这个丑女人只知道西施皱着眉头美，却不知道西施皱着眉头为什么美。学习别人要有分析，有鉴别，要扬其长，避其短。如果不顾自身条件而机械模仿，往往只会事与愿违，适得其反。

jǐng dǐ zhī wā
井底之蛙

yī zhī qīng wā zài jǐng dǐ shēng huó le hěn jiǔ zhī dào de zhǐ shì jǐng dǐ
一只青蛙在井底生活了很久，知道的只是井底
zhè yī xiǎo kuài dì fang zì yǐ wéi zhè jiù shì zhěng gè shì jiè
这一小块地方，自以为这就是整个世界。

yī tiān zhè zhī qīng wā hū rán kàn jiàn jǐng kǒu chū xiàn yī zhī dà biē
一天，这只青蛙忽然看见井口出现一只大鳖。
dà biē duì qīng wā shēng huó zài jǐng dǐ gǎn dào hěn qí guài qīng wā què xiàng tā xuàn
大鳖对青蛙生活在井底感到很奇怪。青蛙却向他炫
yào dào nǐ kàn wǒ shēng huó de duō kuài lè a xiǎng chū qù wán wan
耀道：“你看，我生活得多快乐啊！想出去玩玩，
jiù zài jǐng kǒu de lán gān shang bèng bèng tiào tiào lèi le jiù dūn zài zhè cán pò
就在井口的栏杆上蹦蹦跳跳。累了，就蹲在这残破
jǐng bì de zhuān kū long li xiū xi yào shi tiào jìn shuǐ li shuǐ gāng hǎo
井壁的砖窟窿里休息。要是跳进水里，水刚好
tuō zhe wǒ de gā zhi wō hé miàn jiá
托着我的胳肢窝和面颊。
xiū xi gòu le wǒ kě yǐ cǎi
休息够了，我可以踩
zhe ní ba sàn san bù
着泥巴散散步，

nà xiē xī ní de shēn dù zhǐ néng yān mò wǒ de shuāng jiǎo
那些稀泥的深度只能淹没我的双脚，
màn dào jiǎo bèi shang huí tóu kàn yi kàn nà xiē chì chóng
漫到脚背上。回头看一看那些赤虫、
páng xiè yǔ kē dǒu nǎ yī gè néng bǐ de shàng wǒ ne
螃蟹与蝌蚪，哪一个能比得上我呢？
bìng qiě wǒ dú zhàn zhè yī kēng shuǐ xiǎng tíng jiù tíng zhēn shi kuài
并且，我独占这一坑水，想停就停，真是快
lè jí le nǐ wèi shén me bù cháng lái wǒ zhè li cān guān ne
乐极了！你为什么不常来我这里参观呢？”

dà biē zuǒ jiǎo hái méi tà jìn jǐng li yòu jiǎo yǐ bèi jǐng bì qiǎ zhù le
大鳖左脚还没踏进井里，右脚已被井壁卡住了，
jìn tuì bu de tā zhǐ hǎo màn màn tuì huí qù zhàn wěn sì jiǎo bǎ dà hǎi
进退不得。他只好慢慢退回去，站稳四脚，把大海
de jǐng xiàng gào su qīng wā hǎi shì hěn liáo kuò de qiān wàn lǐ de jù lí yě
的景象告诉青蛙：“海是很辽阔的，千万里的距离也
bù néng xíng róng tā hǎi shì hěn shēn de qiān wàn zhàng de shēn dù yě bù néng tàn
不能形容它；海是很深的，千万丈的深度也不能探
míng tā hǎi shuǐ bù suí shí jiān de cháng duǎn ér gǎi biàn yě bù yīn yǔ liàng de
明它。海水不随时间的长短而改变，也不因雨量的
duō shao ér zhǎng luò zhù zài dōng hǎi li cái shì zuì dà de kuài lè a
多少而涨落。住在东海里，才是最大的快乐啊！”
qiǎn jǐng li de qīng wā tīng le zhè yī fān huà dùn shí gǎn dào le zì jǐ de miǎo
浅井里的青蛙听了这一番话，顿时感到了自己的渺
xiǎo lèng zài nà li yī jù huà yě shuō bù chū lái
小，愣在那里，一句话也说不出来。

zhè zé yù yán fěng cì le nà xiē jiàn shi qiǎn bó yǎn jiè xiá xiǎo máng
这则寓言讽刺了那些见识浅薄、眼界狭小、盲
mù zì dà de rén tā gào jiè rén men qiān wàn bù yào yīn wèi zì jǐ de suǒ
目自大的人。它告诫人们：千万不要因为自己的所
zhī jiù yáng yáng zì dé yě bù yīng bǎ zì jǐ jìn gù zài yī gè xiá xiǎo de
知就扬扬自得，也不应把自己禁锢在一个狭小的
kōng jiān li fǒu zé jiù huì gū lòu guǎ wén ràng rén xiào hua
空间里，否则就会孤陋寡闻，让人笑话。

bù guī shǒu yào

不龟手药

xǐ yī jiàng yǒu gè shén qí de yào fāng dōng tiān yòng zhè zhǒng yào tú mǒ
洗衣匠有个神奇的药方：冬天用这种药涂抹
shǒu jiù suàn zài lěng shǒu yě bù huì gān liè dòng shāng yī gè shāng rén
手，就算再冷，手也不会干裂、冻伤。一个商人
shuō wǒ chū yī bǎi liǎng yín zi mǎi nǐ zhè ge mì fāng bù guò yào shi mài
说：“我出一百两银子买你这个秘方。不过，要是卖
gěi wǒ nǐ jiù bù néng mài gěi bié rén
给我，你就不能卖给别人！”

yī bǎi liǎng wǒ men shì shì dài dài dōu yǐ xǐ yī wéi shēng kě shì
“一百两！我们世世代代都以洗衣为生，可是
suǒ dé yě bù guò jǐ liǎng yín zi ér yǐ rú jīn mài diào zhè ge fāng zi yī
所得也不过几两银子而已。如今卖掉这个方子，一
xià zi jiù néng zhuàn yī bǎi liǎng tài huá suàn le
下子就能赚一百两，太划算了！”

shāng rén dé dào le yào fāng jiù qù wú wáng nà li zì jiàn wéi jiāng jūn
商人得到了药方，就去吴王那里自荐为将军。
yuè wáng tīng shuō wú jūn xīn shàng rèn de jiāng jūn shì gè shāng rén rèn wéi tā bù
越王听说吴军新上任的将军是个商人，认为他不
huì dǎ zhàng mǎ shàng pài rén lái gōng dǎ dāng shí shì dōng tiān wú jūn yòng
会打仗，马上派人来攻打。当时是冬天，吴军用
le zhè zhǒng fáng zhǐ dòng shāng de yào gāo xiāo yǒng shàn zhàn huī qǐ
了这种防止冻伤的药膏，骁勇善战，挥起
bīng qì bǎ yuè jūn shā de piàn jiǎ bù cún
兵器把越军杀得片甲不存！

tóng yàng yī zhāng yào fāng fàng dào
同样一张药方，放到
hé shì de dì fang jiù néng jué dìng zhàn zhēng
合适的地方，就能决定战争
de chéng bài yǐng xiǎng guó jiā de
的成败，影响国家的
mìng yùn
命运。

hé zhé zhī fù

涸辙之鲋

yī tiān zhuāngzhōu xiān sheng zài lù shang zǒu zhe
一天，庄周先生在路上走着。

xiān sheng xiān sheng kuài lái jiù jiu wǒ zhuāng zhōu xiān sheng shùn
“先生，先生，快来救救我！”庄周先生顺
zhe hū hǎn de shēng yīn kàn qù jié guǒ fā xiàn lù biān yǒu yī tiáo kuài yào gān sǐ
着呼喊的声音看去，结果发现路边有一条快要干死
de jì yú zhè tiáo jì yú zhēn shi kě lián yǎn kàn jiù yào bèi tài yáng kǎo jiāo
的鲫鱼。这条鲫鱼真是可怜，眼看就要被太阳烤焦
la jì yú duì zhuāng zhōu xiān sheng shuō nǐ néng gěi wǒ yī shēng bàn dǒu de
啦！鲫鱼对庄周先生说：“你能给我一升半斗的
shuǐ jiù wǒ de mìng ma zhuāng zhōu xiān sheng shuō wǒ bù zhǐ shì gěi nǐ yī
水救我的命吗？”庄周先生说：“我不只是给你一
shēng shuǐ wǒ qù nán fāng quàn shuō wú yuè de guó wáng yǐn cháng jiāng de shuǐ
升水！我去南方劝说吴、越的国王，引长江的水
lái yíng jiē nǐ kě yǐ ma
来迎接你，可以吗？”

jì yú tīng le zhuāng zhōu xiān sheng de huà fēi cháng shēng qì de shuō
鲫鱼听了庄周先生的话，非常生气地说：
xiān sheng wǒ mǎ shàng jiù yào kě sǐ le nǐ gěi wǒ yī shēng
“先生，我马上就要渴死了！你给我一升
shuǐ wǒ jiù kě yǐ huó mìng nǐ què ràng wǒ
水，我就可以活命；你却让我
děng cháng jiāng de shuǐ hái bù rú chèn
等长江的水，还不如趁
zǎo dào mài gān yú de diàn pù qù zhǎo
早到卖干鱼的店铺去找
wǒ ne
我呢！”

biǎn què zhì bìng

扁鹊治病

yǒu yī tiān míng yī biǎn què qù bài jiàn cài huángōng biǎn què shuō dà
有一天，名医扁鹊去拜见蔡桓公。扁鹊说：“大
wáng jù wǒ kàn lái nín pí fū shang yǒu diǎnr xiǎo bìng yào shi bù zhì
王，据我看来，您皮肤上有点儿小病。要是不治，
kǒng pà huì yán zhòng ne cài huán gōng tīng le hěn bù shū fu xīn xiǎng
恐怕会严重呢。”蔡桓公听了很不舒服，心想：
nǐ zhè ge dài fu jiù bù huì shuō hǎo tīng de ya
“你这个大夫，就不会说好听的呀。”

dàn shì cài huán gōng hái shi lǐ mào de huí dá shuō wǒ de shēn tǐ
但是，蔡桓公还是礼貌地回答说：“我的身体
hěn hǎo shén me bìng yě méi yǒu biǎn què gào cí le cài huán gōng rěn bu
很好，什么病也没有。”扁鹊告辞了。蔡桓公忍不
zhù duì zì jǐ de xià shǔ shuō zhè xiē zuò yī shēng de zǒng shì xǐ huan gěi
住对自己的下属说：“这些做医生的，总是喜欢给
méi yǒu bìng de rén zhì bìng yī zhì méi yǒu bìng de rén cái xiǎn shì zì jǐ de
没有病的人治病，医治没有病的人，才显示自己的
gāo míng ne
高明呢！”

guò le shí tiān biǎn què yòu lái bài jiàn cài huángōng zháo
过了十天，扁鹊又来拜见蔡桓公，着
jí de shuō nín de bìng yǐ jīng dào le pí ròu zhī jiān le yào
急地说：“您的病已经到了皮肉之间了，要
shi bù zhì pà shì gèng wēi xiǎn le cài huán gōng hěn bù
是不治，怕是更危险了。”蔡桓公很不
gāo xìng méi yǒu lǐ cǎi tā
高兴，没有理睬他。

yòu guò le shí tiān biǎn què jí chōng chōng de
又过了十天，扁鹊急冲冲地

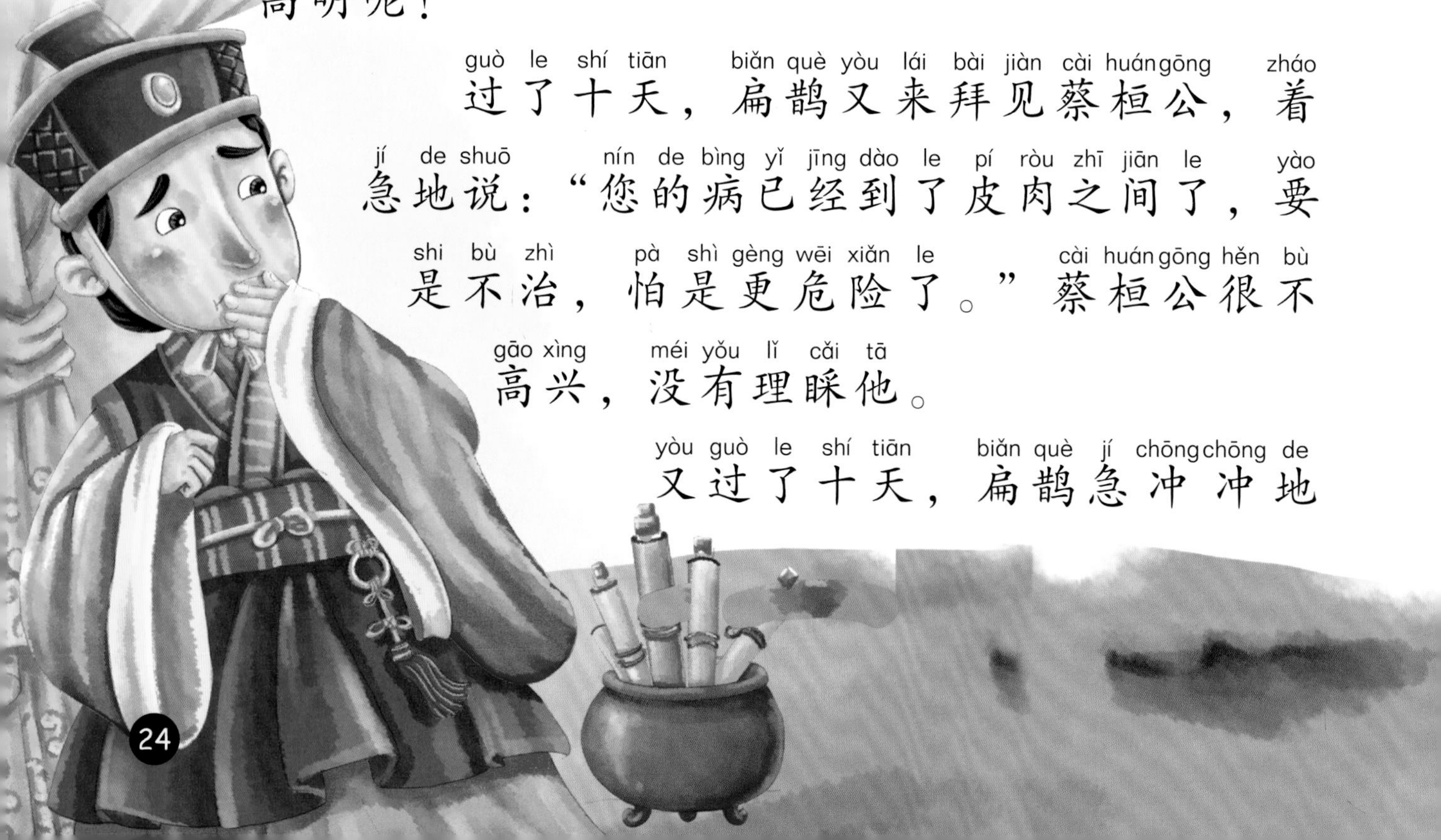

再次拜见蔡桓公，说：“您的病已经进入肠胃，要是不治，我怕……”蔡桓公朝着扁鹊一挥袖子，扁鹊吓得赶快退了出来。

又过了十天，扁鹊老远望见蔡桓公，只看了几眼，就掉头跑掉了。蔡桓公心想：“又没说杀你，躲我干吗？”

蔡桓公很好奇，特地派人去问扁鹊。扁鹊说：“皮肤上的病呢，用药热敷治疗就可以治好；病在肌肉皮肤之间，用针灸就可以治好；病在肠胃中，用清火汤剂也可以医治好；要是病在骨髓，那就是神所管的了，我就没有办法了。所以我看到大王，只好跑开了。”

过了五天，蔡桓公感到浑身疼痛，便派人去找扁鹊。这时，扁鹊已经逃到秦国去了。不久，蔡桓公病死了。

滥竽充数

战国时，齐国国君齐宣王喜欢听吹竽，拥有一支三百人的庞大乐队。齐宣王喜欢热闹，又爱摆排场，总想在人前显示自己做国君的威严，所以每次听吹竽的时候，总是叫这三百人一起合奏给他听。

有一位南郭先生，本来不会吹竽，但为了挣钱混饭吃，就请一位在王宫乐队供职的朋友帮忙，让自己冒充乐师，混进了那支三百人的乐队。每次演奏，他总是模仿别人的样子，双手捧着竽，掩住下半部脸，做出摇头晃脑的样子，好像真的在吹

zòu qí shí gēn běn méi yǒu fā chū shēng xiǎng dàn tā zhuāng de tài xiàng le
奏，其实根本没有发出声响，但他装得太像了，
cóng lái méi yǒu rén kàn chū tā bù huì chuī yú
从来没有人看出他不会吹竽。

měi cì yǎn zòu wán bì qí xuān wáng dōu fēi cháng gāo xìng de shǎng cì yuè
每次演奏完毕，齐宣王都非常高兴地赏赐乐
shī men nán guō xiān sheng yòu jīng yòu xǐ yīn wèi tā bù jǐn jiě jué le chī fàn
师们。南郭先生又惊又喜，因为他不仅解决了吃饭
wèn tí ér qiě hái shēng huó de hěn ān dìng fù yù
问题，而且还生活得很安定富裕。

qí xuān wáng sǐ hòu tā de ér zi qí mín
齐宣王死后，他的儿子齐缗
wáng jì chéng le wáng wèi zhè wèi xīn guó jūn yě hěn
王继承了王位。这位新国君也很
xǐ huan tīng chuī yú dàn shì tā bù xǐ huan tīng hé
喜欢听吹竽，但是，他不喜欢听合
zòu zhǐ xǐ huan yuè shī yī gè gè de wèi tā dú zòu
奏，只喜欢乐师一个个地为他独奏。

yú shì yuè shī men gè gè jǐn zhāng de liàn xí yuè
于是，乐师们个个紧张地练习乐
qǔ zhǔn bèi zài xīn guó jūn miàn qián dà xiǎn shēn shǒu zhǐ yǒu
曲，准备在新国君面前大显身手。只有
nán guō xiān sheng yī gè rén jīng huāng shī cuò yīn wèi tā zhè jǐ
南郭先生一个人惊慌失措。因为他这几
nián gēn běn yī gè yīn yě méi yǒu chuī zòu guo zhè cì zài yě
年根本一个音也没有吹奏过，这次再也
bù néng zhuāng xià qù le zhǐ yǒu qiāo qiāo de liū zǒu
不能装下去了，只有悄悄地溜走。

zhè ge yù yán gù shi gào jiè rén men bù xué
这个寓言故事告诫人们：不学
wú shù de rén zhǐ néng kào nòng xū zuò jiǎ guò rì
无术的人只能靠弄虚作假过日
zi dāng qiáng diào gè rén néng lì shí jiù
子，当强调个人能力时，就
huì lòu chū mǎ jiǎo suǒ yǐ zuò rén yī
会露出马脚。所以，做人一
dìng yào yǒu zhēn cái shí xué
定要有真才实学。

守株待兔

从前，有一个宋国的农夫，以种田为生。

有一天，那个农夫正在田里劳作的时候，忽然看见一只兔子飞快地奔跑过来。那只兔子慌不择路，竟然“砰”的一声撞在树桩上，折断了脖颈儿，当场死了。

“哇！怎么有这种事？我真是幸运！”农夫心里美极了。他连忙丢下农具，捡起那只又肥又大的兔子回家，和家人饱餐了一顿美味的兔肉。吃过饭，他乐滋滋地想：“要是我每天都能捡一

zhī tù zi de huà nà gāi duō hǎo a
只兔子的话，那该多好啊！
wǒ jiù yòng bu zháo zhè me xīn kǔ de zhòng tián le
我就用不着这么辛苦地种田了。”

cóng cǐ yǐ hòu zhè ge nóng fū zài yě bù kěn rèn zhēn
从此以后，这个农夫再也不肯认真
de gēng tián le zhěng tiān shǒu hòu zài shù zhuāng páng děng zhe jiǎn zhuàng sǐ
地耕田了，整天守候在树桩旁，等着捡撞死
de tù zi rì zi yī tiān yī tiān de guò qù le tā shǐ zhōng méi yǒu
的兔子。日子一天一天地过去了，他始终没有
děng dào yī zhī tù zi kě shì tā réng bù sǐ xīn hái shi měi tiān zuò
等到一只兔子。可是他仍不死心，还是每天坐
zài shù xià hng wǒ jiù bù xiāng xìn jīn tiān děng bu dào yě xǔ míng
在树下：“哼！我就不相信，今天等不到，也许明
tiān jiù néng děng dào le ba jiù zhè yàng yòu guò le jǐ gè yuè nóng fū bù
天就能等到了吧！”就这样又过了几个月，农夫不
jǐn méi jiǎn dào tù zi shèn zhì lián tù zi de yǐng zi dōu méi kàn dào ér tā
仅没捡到兔子，甚至连兔子的影子都没看到！而他
de nà jǐ kuài dì yīn wèi hǎo jiǔ méi yǒu gēng zhòng yǐ jīng zhǎng mǎn le huāng cǎo
的那几块地因为好久没有耕种，已经长满了荒草，
zhuāng jia yě kū wěi le
庄稼也枯萎了。

yī zhī tù zi zhuàng dào shù zhuāng sǐ le běn lái shì yī jiàn hěn ǒu rán
一只兔子撞到树桩死了，本来是一件很偶然
de shì kě shì nóng fū què bǎ zhè dàng chéng le yī zhǒng xí guàn tiān tiān
的事。可是农夫却把这当成了一种“习惯”，天天
qù děng hòu nǎ li huì yǒu nà me duō de tù zi děng zhe tā qù jiǎn ne hěn
去等候，哪里会有那么多的兔子等着他去捡呢？很
kuài nóng fū de zhè zhǒng xíng wéi jiù bèi dàng zuò xiào hua zài sòng guó chuán kāi le
快，农夫的这种行为就被当作笑话在宋国传开了。

zhè zé yù yán gù shi gào su wǒ men bù guǎn zuò shén me shì qing dōu
这则寓言故事告诉我们：不管做什么事情，都
yào yǒu shí gàn jīng shén bù néng bào yǒu jiǎo xìng xīn lǐ
要有实干精神，不能抱有侥幸心理。

hé shì xiàn bì

和氏献璧

chǔ guó de biàn hé zài chǔ shān zhōng dé dào le yī kuài wèi jīng diāo zhuó de pú
楚国的卞和在楚山中得到了一块未经雕琢的璞
yù yú shì jiù ná qù xiàn gěi chǔ guó guó jūn chǔ lì wáng lì wáng jiào yù jiàng
玉，于是就拿去献给楚国国君楚厉王。厉王叫玉匠
lái jiàn bié yù jiàng shuō zhè shì yī kuài pǔ tōng de shí tou a lì wáng
来鉴别。玉匠说：“这是一块普通的石头啊！”厉王
rèn wéi biàn hé shì gè piàn zi yú shì jiù mìng rén bǎ tā de zuǒ jiǎo kǎn diào le
认为卞和是个骗子，于是就命人把他的左脚砍掉了。

chǔ lì wáng sǐ le yǐ hòu wǔ wáng zuò le chǔ guó de guó jūn biàn hé
楚厉王死了以后，武王做了楚国的国君。卞和
yòu pěng zhe nà kuài pú yù xiàn gěi wǔ wáng wǔ wáng yòu jiào yù jiàng lái jiàn dìng
又捧着那块璞玉献给武王。武王又叫玉匠来鉴定。
yù jiàng hái shi shuō zhè shì yī kuài pǔ tōng de
玉匠还是说：“这是一块普通的
shí tou a wǔ wáng yě rèn wéi biàn hé shì
石头啊。”武王也认为卞和是
gè piàn zi yú shì yòu mìng rén bǎ biàn
个骗子，于是又命人把卞
hé de yòu jiǎo kǎn diào le
和的右脚砍掉了。

wǔ wáng sǐ le yǐ hòu wén
武王死了以后，文

wáng jì chéng le wáng wèi yú shì biàn hé bào zhe pú yù zài chǔ shān shān jiǎo xià
王继承了王位。于是卞和抱着璞玉在楚山山脚下
tòng kū le sān tiān sān yè yǎn lèi dōu kū gān le wén wáng tīng dào zhè shì
痛哭了三天三夜，眼泪都哭干了。文王听到这事，
biàn pài rén qù wèn biàn hé tiān xià bèi kǎn diào shuāng jiǎo de rén duō de hěn
便派人去问卞和：“天下被砍掉双脚的人多得很，
wèi shén me wéi dú nǐ kū de zhè yàng shāng xīn ne
为什么唯独你哭得这样伤心呢？”

biàn hé huí dá dào wǒ bìng bù shì shāng xīn zì jǐ de jiǎo bèi kǎn diào
卞和回答道：“我并不是伤心自己的脚被砍掉
le lìng wǒ bēi tòng de shì bǎo yù jìng bèi shuō chéng shí tou zhōng chéng de
了，令我悲痛的是，宝玉竟被说成石头，忠诚的
rén bèi dàng chéng piàn zi
人被当成骗子！”

wén wáng tīng le zhè huà biàn jiào yù jiàng rèn zhēn de jiā gōng diāo zhuó zhè kuài
文王听了这话，便叫玉匠认真地加工雕琢这块
pú yù zuì hòu guǒ rán fā xiàn zhè shì yī kuài xī shì bǎo yù yú shì jiù bǎ tā
璞玉，最后果然发现这是一块稀世宝玉，于是就把它
mìng míng wéi hé shì bì yòng yǐ zhāo shì biàn hé de dǎn shí
命名为“和氏璧”，用以昭示卞和的胆识
yǔ zhōng zhēn
与忠贞。

zhè ge gù shi yě xiàng wǒ men zhǎn xiàn le yī zhǒng
这个故事也向我们展现了一种
wèi jiān chí zhēn lǐ ér bǎ shēng sǐ zhì zhī dù wài
为坚持真理而把生死置之度外
de wán qiáng jīng shén biàn hé de zhōng chéng hé zhí
的顽强精神，卞和的忠诚和执
zhuó shí zài shì lìng rén jìng pèi
着实在是令人敬佩！

郑人买履

传说，有个郑国人，他看见脚上的鞋子从鞋帮到鞋底都已经破了，于是就准备到集市上去买一双新鞋。他先在家中量好了脚的大小，然后画了一个底样的尺码。由于走得太匆忙，临走时他竟然忘记了把画好的底样带在身上。

集市上热闹极了，人群熙熙攘攘，各种各样的小商品琳琅满目。这个郑国人径直走到鞋铺前，里面有各式各样的鞋子。郑国人让掌柜的拿了几双鞋，左挑右选，最后选中了一双觉得满意的鞋子。正当他想量一量这鞋是不是合适时，才发现自己忘记带鞋样了，于是就

duì mài xié de rén shuō　wǒ bǎ chǐ mǎ wàng zài jiā li le
对卖鞋的人说：“我把尺码忘在家里了，
děng wǒ huí jiā qǔ lái chǐ mǎ zài mǎi ba　shuō
等我回家取来尺码再买吧！”说
wán　tā jiù fàng xià xié zi　cōng cōng máng máng
完，他就放下鞋子，匆匆忙忙
de pǎo huí jiā qù qǔ dǐ yàng le
地跑回家去取底样了。

děng tā jí cōng cōng de gǎn huí jí shì shí　tiān
等他急匆匆地赶回集市时，天
yǐ jīng hēi le　jí shì zǎo yǐ sàn le　zhè ge
已经黑了，集市早已散了。这个
zhèng guó rén bái pǎo le yī tàng　què méi yǒu mǎi dào
郑国人白跑了一趟，却没有买到
xié zi　jiù rěn bu zhù gēn bié rén láo dao
鞋子，就忍不住跟别人唠叨。

yǒu gè guò lù rén wèn tā　nǐ gěi shéi mǎi xié ne
有个过路人问他：“你给谁买鞋呢？”

dāng rán shì wǒ zì jǐ le　zhèng guó rén jǔ sàng de huí dá dào
“当然是我自己了。”郑国人沮丧地回答道。

zhè ge guò lù rén nà mènr le　nǐ gěi zì jǐ mǎi xié zi　wèi shén
这个过路人纳闷儿了：“你给自己买鞋子，为什
me bù yòng zì jǐ de jiǎo qù liáng a　yòng nǐ zì jǐ de jiǎo shì yi shì　bù
么不用自己的脚去量啊？用你自己的脚试一试，不
shì gèng hé shì ma
是更合适吗？”

zhè ge zhèng guó rén gù zhí de shuō　wǒ nìng kě xiāng xìn zì jǐ liáng hǎo
这个郑国人固执地说：“我宁可相信自己量好
de chǐ mǎ　yě bù xiāng xìn zì jǐ de jiǎo
的尺码，也不相信自己的脚。”

zhè piān yù yán gù shi fěng cì le nà xiē bù gù shí jì qíng kuàng　zhǐ zhī
这篇寓言故事讽刺了那些不顾实际情况，只知
dào mí xìn jiào tiáo　sī xiǎng jiāng huà de rén　jù tǐ de xiàn shí yǒng yuǎn gāo yú
道迷信教条，思想僵化的人。具体的现实永远高于
lǐ lùn de jiào tiáo　zhèng shì zhè piān yù yán suǒ jiē shì de dào lǐ
理论的教条，正是这篇寓言所揭示的道理。

心不在马

王子期是驾驶马车的好手，赵襄王听说后，要跟着王子期学习。教的人用心，学的人认真，没多久，赵襄王就嚷着要和王子期比赛啦！

赵襄王是大王，当然要用最好的马匹。他很得意地对王子期说：“我要超过你！”可是奇怪，赵襄王换了三次马，却三次都落后。赵襄王生气地说：“你教我驾车，并没有把技术全教给我。”

王子期回答：“大王，驾车的关键在马身上，可是您却在关心我的一举一动，心思都在我的身上，还怎么去调理马呢？”

赵襄王大笑起来，要求再比一次。这次他全身心投入在自己的马上，果然取得了胜利。

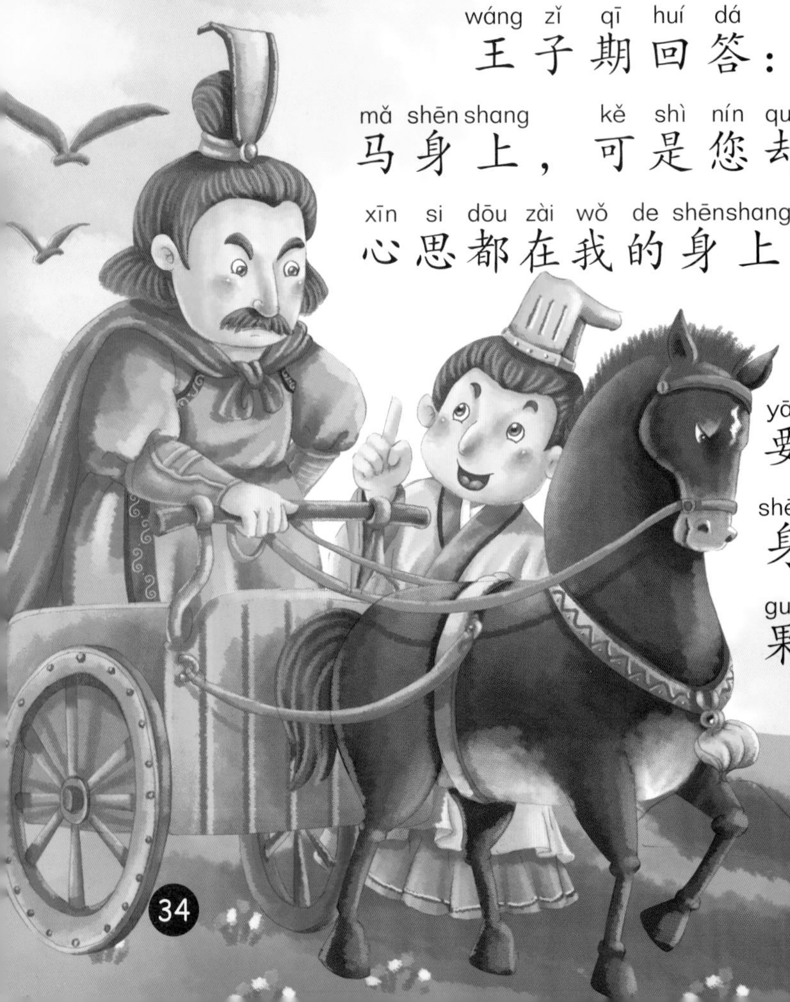

èr rén xiàng mǎ

二人相马

bó lè jiāo liǎng gè rén xiàng mǎ， yī tiān xiǎng kǎo kao tā men： nǐ men
伯乐教两个人相马，一天想考考他们：“你们

liǎng gè rén qù mǎ jiù， kàn shéi xiān zhǎo dào nà pǐ tī rén de mǎ？ liǎng gè
两个人去马厩，看谁先找到那匹踢人的马？”两个

rén lái dào mǎ jiù， qí zhōng yī gè rén lì kè zhǐ chū： zhè pǐ mǎ huì tī
人来到马厩，其中一个人立刻指出：“这匹马会踢

rén！ lìng yī gè rén méi chū shēng， què qù mō mǎ de pì gu。 bù yào
人！”另一个人没出声，却去摸马的屁股。“不要

mō， tā huì tī rén！ guài shì fā shēng le， nà pǐ mǎ bìng méi yǒu tī rén。
摸，它会踢人！”怪事发生了，那匹马并没有踢人。

kě shì dì èr gè rén de pàn duàn hé dì yī gè rén wán quán bù yī yàng。
可是第二个人的判断和第一个人完全不一样。

wèi shén me mǎ bù tī nǐ ne？ dì yī gè rén wèn dào。 yīn wèi tā niǔ
“为什么马不踢你呢？”第一个人问道。“因为它扭

shāng le jiān hé xī gài。 mǎ dōu shì yòng hòu tuǐ lái tī rén
伤了肩和膝盖。马都是用后腿来踢人

de， zhè pǐ mǎ de xī gài zhǒng le， wú fǎ zhī chēng shēn
的，这匹马的膝盖肿了，无法支撑身

tǐ de zhòng liàng， hòu tuǐ jǔ bù qǐ lái，
体的重量，后腿举不起来，

suǒ yǐ wú fǎ tī rén。
所以无法踢人。”

zhè ge yù yán gào su wǒ men，
这个寓言告诉我们，

kàn wèn tí yào quán miàn， hái
看问题要全面，还

yào zǐ xì， fǒu zé
要仔细，否则

hěn nán zuò chū zhèng què de
很难做出正确的

pàn duàn。
判断。

棘刺母猴

有个人向燕王吹嘘说："大王呀，我可以在荆棘的尖刺上雕刻出活灵活现的猴子！"燕王听说他有这样超群的技艺，高兴极了，立刻给他极其丰厚的待遇。过了几天，燕王想看看这位巧匠雕刻的艺术珍品。那个人说："国君要是想看的话，必须依我两个条件：一不喝酒；二不吃肉。"

燕王可办不到，就不要求看作品了。宫内有个铁匠听说了这件事，不禁暗暗发笑。铁匠求见燕王说："大王，谁都知道，再小的刻制品也要用刻刀才能雕削出来，所以，雕刻的东西一定要比刻刀的刀刃大。你可以问问他用什么工具，不就一清二楚了吗？"

燕王哈哈大笑，找来微雕匠人询问。微雕匠人答不出来，只好承认自己是吹牛。

画鬼最易

“你是高明的画师，怎么连一只会蹦会跳的小狗都画不好？”齐王惊讶地看着国内出名的画师，好奇地问。

“哦？”画师摸摸胡子反问齐王，“大王听说我最擅长画什么呢？”齐王回答，“听说你画鬼画得好！”

“难怪了！因为狗与马这些东西人们都熟悉，经常出现在人们的眼前，只要画错一点儿，就会被人发现而指出毛病，所以难画。至于鬼呢，谁也没见过，没有确定的形体，也没有明确的相貌，可以由我随便画，想怎样画就怎样画，所以画鬼比较容易。”

画家的“高论”说明：如果没有具体的标准，就会容易“弄虚作假”和“投机取巧”。

yí lín qiè fǔ
疑邻窃斧

cóng qián yǒu gè xiāng xia rén tā zài zì jiā de dì jiào zhōng chǔ cún
从前，有个乡下人，他在自家的地窖中储存
zhǒng zi de shí hou wàng le bǎ fǔ tóu cóng dì jiào li dài chū lái jǐ tiān yǐ
种子的时候，忘了把斧头从地窖里带出来。几天以
hòu tā yào yòng fǔ tóu shí cái fā xiàn fǔ tóu bù jiàn le fàng zài nǎr le
后，他要用斧头时，才发现斧头不见了。放在哪儿了
ne tā dào chù dōu zhǎo biàn le hái shi méi yǒu zhǎo dào yú shì jiù huái yí
呢？他到处都找遍了，还是没有找到，于是就怀疑
shì lín jū jiā de ér zi bǎ fǔ tóu tōu qù le
是邻居家的儿子把斧头偷去了。

dào dǐ shì bu shì lín jū jiā de ér zi tōu le ne méi yǒu zhèng jù yòu
到底是不是邻居家的儿子偷了呢？没有证据又
bù néng luàn jiǎng yú shì tā jiù
不能乱讲，于是，他就
kāi shǐ zǐ xì de guān chá lín jū jiā
开始仔细地观察邻居家
de hái zi yóu yú tā jué de jiù
的孩子。由于他觉得就
shì tā tōu le fǔ tóu suǒ yǐ
是他偷了斧头，所以
gǎn jué nà ge rén zǒu lù de yàng
感觉那个人走路的样

zi hěn xiàng tōu le fǔ tóu de bù jǐn rú cǐ lián nà ge rén de shén tài
子，很像偷了斧头的。不仅如此，连那个人的神态、

dòng zuò biǎo qíng yě jué de xiàng shèn zhì shuō huà shí de shēng diào dōu jué de
动作、表情也觉得像，甚至说话时的声调，都觉得

xiàng tōu le fǔ tóu yī yàng zǒng zhī yuè kàn yuè xiàng tā jī hū kě yǐ kěn
像偷了斧头一样。总之，越看越像，他几乎可以肯

dìng jiù shì nà ge rén tōu le zì jǐ jiā de fǔ tóu
定就是那个人偷了自己家的斧头。

yòu guò le jǐ tiān zhè ge rén yào dào shān gǔ li qù jué dì xià dì
又过了几天，这个人要到山谷里去掘地，下地

jiào ná dōng xi shí cái fā xiàn le zì jiā nà bǎ bù jiàn le hǎo duō tiān de fǔ
窖拿东西时，才发现了自家那把不见了好多天的斧

tóu zhèng tǎng zài dì shang zhǎo dào le zì jǐ de fǔ tóu yǐ hòu zhè ge rén yòu
头正躺在地上。找到了自己的斧头以后，这个人又

pèng jiàn le lín jū jiā de ér zi zài liú xīn kàn kan tā jiù jué de tā de
碰见了邻居家的儿子，再留心看看他，就觉得他的

yī jǔ yī dòng jiù lián shuō huà de shén tài hé biǎo qíng dōu méi yǒu yī diǎnr
一举一动，就连说话的神态和表情，都没有一点儿

xiàng tōu fǔ tóu de yàng zi le
像偷斧头的样子了。

zhè ge gù shi gào su rén men yù dào wèn tí shí yào xiān jìn xíng diào chá
这个故事告诉人们：遇到问题时要先进行调查

yán jiū zài zuò chū pàn duàn jué duì bù néng háo wú gēn jù de xiā cāi yí
研究，再做出判断，绝对不能毫无根据地瞎猜疑。

dāng rén dài zhe zhǔ guān chéng jiàn qù guān
当人带着主观成见去观

chá shì jiè shí bì rán huì zào chéng
察世界时，必然会造成

duì zhēn xiàng de wāi qū
对真相的歪曲。

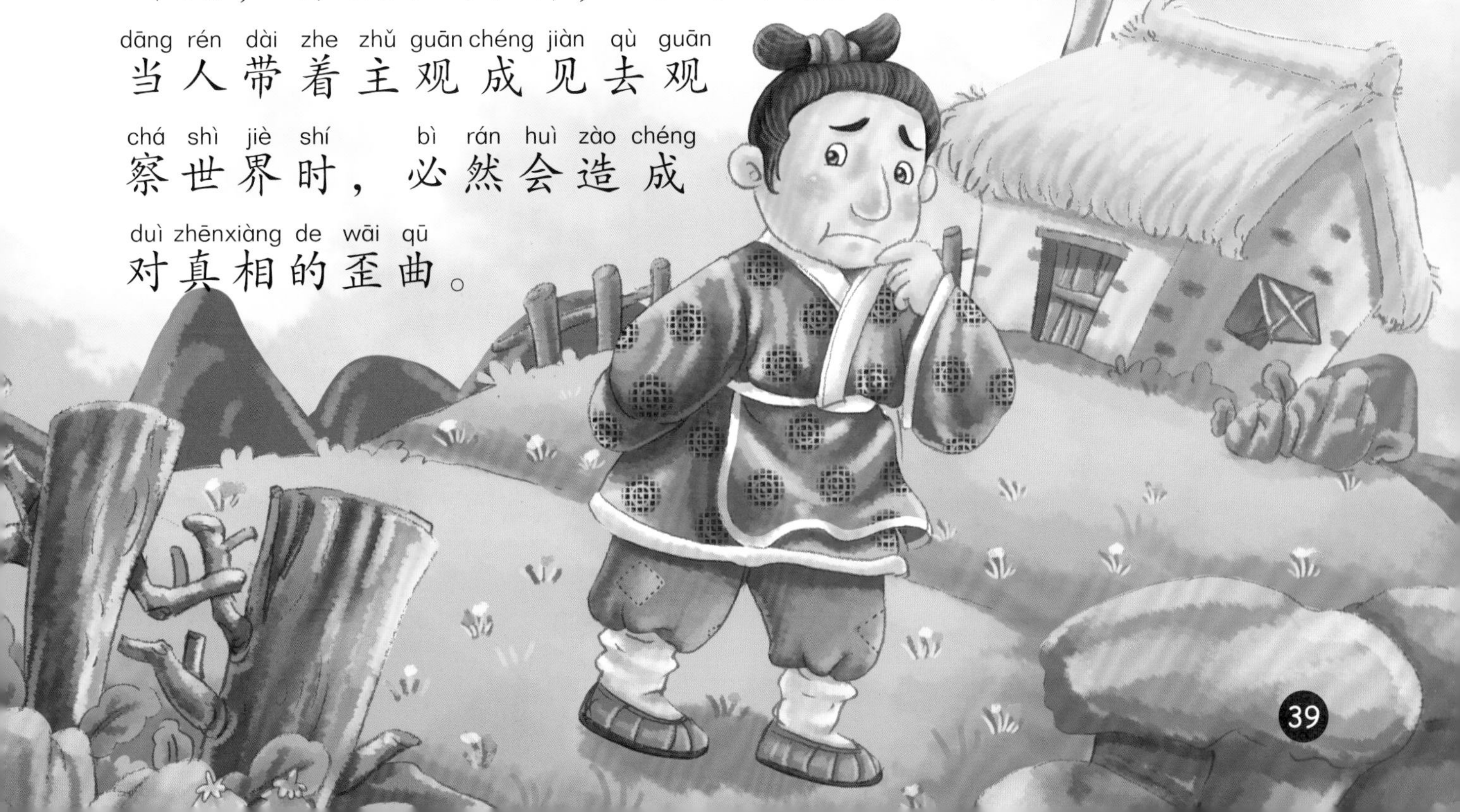

lí qiū zhàng rén

黎丘丈人

wèi guó yǒu yī gè dì fang jiào lí qiū nà li yǒu yī gè tiáo
魏国有一个地方叫黎丘。那里有一个调
pí de guǐ zǒng shì xǐ huan zhuō nòng bié rén bǐ rú tā huì zhuāng
皮的鬼，总是喜欢捉弄别人。比如，他会装
chéng qīn qi huò zhě lín jū ràng rén shàng dàng shòu piàn
成亲戚或者邻居，让人上当受骗。

yī gè lǎo rén dào jiē shì shang hē zuì jiǔ
一个老人到街市上喝醉酒
huí jiā lí qiū de guǐ zhuāng bàn chéng tā ér
回家，黎丘的鬼装扮成他儿
zi de yàng zi fú tā yī lù shang bèng bèng tiào tiào
子的样子扶他，一路上蹦蹦跳跳
de zhuān mén jiǎn bù hǎo zǒu de lù zǒu diān
的，专门拣不好走的路走，颠
bǒ de lǎo rén tè bié bù shū fu lǎo rén zé
簸得老人特别不舒服。老人责
mà tā tā hái chī chī de xiào lǎo rén
骂他，他还哧哧地笑。老人
huí dào jiā jiǔ xǐng hòu jiù zé mà zì jǐ
回到家，酒醒后就责骂自己

的儿子："你怎么可以这样呢？我喝醉了，你还不好好照顾我，是为什么？"他的儿子很委屈地回答说："冤枉啊！没有这样的事啊！昨天我一直在讨债呢，您可以问问那个欠我们钱的人呀，我可是压根儿没去街市呀！"

"原来是那个讨厌的鬼！好，我下次遇到了，一定不会放过他！"老人很生气地说。他准备好一把雪亮的刀子。第二天，老人特意又到街市上喝酒，喝得大醉。回家的路上，他遇到了自己的儿子。原来，儿子担心父亲不能回家，就前去接他。老人看见儿子，拔出刀子就刺他。

"爸爸，不要杀我！我是您的儿子呀！"儿子连声恳求。"哼！你以为你能骗得了我吗？"老人回答道，"你这讨厌的鬼！这下看我怎么收拾你！"

老人竟被扮成他儿子的鬼弄得失去了判断力，因而杀死了自己真正的儿子。不问原因就做决定的人，不是和这个老人一样糊涂吗？

chuān jǐng dé yī rén

穿井得一人

nǐ men zhī dào ma dīng jiā wā le yī kǒu jǐng cóng jǐng li wā chū yī
“你们知道吗？丁家挖了一口井，从井里挖出一

gè rén sòng guó de jiē tóu xiàng wěi dào chù liú chuán zhe zhè yàng de huà
个人！”宋国的街头巷尾，到处流传着这样的话。

wā chū yī gè rén sòng wáng tīng dào le zhè ge xiāo xi jué de
“挖出一个人？”宋王听到了这个消息，觉得

yòu jīng yòu xǐ cóng dì xià wā chū de rén yīng gāi shì shén xiān ba shén xiān
又惊又喜，“从地下挖出的人，应该是神仙吧？神仙

lái dào wǒ guó yào hǎo hǎo zhāo dài cái shì sòng wáng mù yù gēng yī fén
来到我国，要好好招待才是。”宋王沐浴更衣，焚

xiāng dǎo gào rán hòu jī dòng de ràng zǎi xiàng qù qǐng dīng jiā rén lái shāngliang
香祷告，然后激动地让宰相去请丁家人来商量。

dà wáng yǒu lìng qǐng nǐ jiā nà ge cóng jǐng li wā chū de rén qù gōng
“大王有令：请你家那个从井里挖出的人去宫

diàn tīng dào zhè ge xiāo xi dīng jiā rén xià huài
殿！”听到这个消息，丁家人吓坏

le zūn jìng de zǎi xiàng wǒ jiā méi yǒu nà
了：“尊敬的宰相，我家没有那

me yī gè rén ya
么一个人呀！”

“大胆！”宰相大声呵斥，“大街上都传遍了，你们想要欺君吗？”

“不是这样的！”丁家人连连摆手，把事情的原委慢慢说来，“虽然只是挖开一口十多米深、直径不到一米的水井，但是在地下掘土、取土和进行井壁加固并不是一件容易的事。我们全家起早贪黑，辛辛苦苦干了半个多月才把水井打成。

“从此以后，我们再也用不着总是派一个人风餐露宿，为运水浇地而劳苦奔波了。这样就可以多出一个劳动力，并不是说从井里挖出一个人啊。”

宰相连连点头：“耳听为虚，眼见为实。本来是这么小的一件事情，却闹出了如此大的风波，以后遇到事情一定要亲自去看看呀！”

kè zhōu qiú jiàn

刻舟求剑

zhàn guó shí yǒu gè chǔ guó rén, dài zhe yī bǎ jià zhí lián chéng de bǎo jiàn, yào dào jiāng duì miàn qù。chuán xíng dào zhōng tú, bǎo jiàn hū rán diào jìn le jiāng li。"āi yā, duō kě xī, nǐ kuài qù lāo ya!" zhōu wéi de kè rén lián shēng cuī cù tā。

战国时有个楚国人，带着一把价值连城的宝剑，要到江对面去。船行到中途，宝剑忽然掉进了江里。“哎呀，多可惜，你快去捞呀！”周围的客人连声催促他。

chǔ guó rén bù huāng bù máng de cóng kǒu dai li qǔ chū yī bǎ xiǎo dāo, fú xià shēn zi, zài chuán bāng shang kè xià yī gè jì hao, zuǐ li hái bù tíng de niàn dao:"huì zhǎo dào de, huì zhǎo dào de。"

楚国人不慌不忙地从口袋里取出一把小刀，伏下身子，在船帮上刻下一个记号，嘴里还不停地念叨：“会找到的，会找到的。”

děng dào chuán kào le àn, rén men fēn fēn xià chuán。chǔ guó rén duì zhe chuán bāng kè jì hao de dì fang, tiào xià shuǐ qù。bù yī huìr, tā zuān chū shuǐ miàn, duì zhe chuán bāng de jì hao kàn le kàn, zì yán zì yǔ de shuō:"wǒ de jiàn jiù shì cóng zhè li diào xià qù de, zěn me zhǎo bu dào le ne?"

等到船靠了岸，人们纷纷下船。楚国人对着船帮刻记号的地方，跳下水去。不一会儿，他钻出水面，对着船帮的记号看了看，自言自语地说：“我的剑就是从这里掉下去的，怎么找不到了呢？”

强取人衣

“我丢了衣服，谁看到我的衣服了？”宋国有个叫澄子的人，丢了一件黑色的衣服，正在路上寻找。他看见一个妇女穿着一件黑色的衣服，就拉住她不放，嘴里大声嚷嚷：“小偷，把衣服还给我！”

那个妇女奇怪地问：“你是男子，我是女人。我怎么能偷你的衣服呢？我穿的这件衣服确实是我自己做的呀！”澄子说：“我刚才丢掉的是件纺绸黑夹衣，你穿的不过是件黑布单衣。拿单衣换夹衣，难道不是便宜你了吗？”

这个故事讽刺了像澄子那样为了强夺人衣而胡搅蛮缠的人。这些人为了达到目的，总是找借口自我辩解。

以不解解之

“大王有令：凡是能解开疙瘩的人，都可以获得千金的赏赐！”告示牌前，人头攒动。大家兴致勃勃地看着、议论着。

事情是这样的：有位鲁国的智者送给宋元君两个用绳子结成的疙瘩：“尊敬的大王，我打赌你们全国上下没有人能解开这两个疙瘩。”

“真的吗？”宋元君并不相信。

国内的能工巧匠和许多脑子灵活的人纷纷进宫来解这两个疙瘩，可是没有一个人能够解开。他们只好摇摇头，无可奈何地离去。

倪说的弟子拜见宋元君。宋元君叫左右拿出绳疙瘩让他解。这个弟子并不着急动手，而是打量了

一下，然后只见他手指上下翻飞，不一会儿就解开了第一个疙瘩。这个聪明的弟子朝大家拱拱手，准备告辞了。“慢着，”宋元君说，“还有第二个呢！”

“不是我不能解开这个疙瘩，”这个弟子肯定地说，“而是这个疙瘩本来就是一个解不开的死结。”

宋元君半信半疑，派人找来了那个鲁国人，把倪说弟子的话告诉了他。鲁国人听了，十分惊讶地说：“的确是这样的！这个疙瘩是我亲手编制出的，它没法解开。而倪说的弟子并没有看见我编这个疙瘩，却能看出它是一个无法解开的死结，说明他的智慧远远超过我了。”

在做事情之前要分析一下哪些能做，哪些不能做，哪些事情有做的价值，哪些事情没有做的价值。这样，就会少走许多弯路。

塞翁失马

从前，有位老汉住在与胡人相邻的边塞地区。他非常喜欢骑马射箭，来来往往的过客都尊称他为“塞翁”。

有一天，塞翁家的马在放牧时竟无缘无故地跑到塞外胡人居住的地方去了。邻居们得知这一消息以后，都为塞翁感到惋惜。可是塞翁却不以为然，反而释怀地劝慰大伙儿：“我丢了马，当然是件坏事，但谁知道它会不会带来好的结果呢？”

果然，没过几个月，那匹迷途的马又从塞外跑了回来，并且还带回了一匹胡人骑的骏马。于是，邻居们又一齐来向塞翁贺喜，并夸他在丢马时有远

jiàn rán ér zhè shí de sài wēng què yōu xīn chōng chōng de shuō zěn me zhī
见。然而，这时的塞翁却忧心忡忡地说：“怎么知

dào zhè jiàn shì bù huì gěi wǒ dài lái zāi huò ne
道这件事不会给我带来灾祸呢？”

sài wēng jiā píng tiān le yī pǐ jùn mǎ tā de ér zi xǐ bù zì jīn
塞翁家平添了一匹骏马，他的儿子喜不自禁，

yú shì jiù tiān tiān qí zhe mǎ wài chū dōu fēng lè cǐ bù pí zhōng yú yǒu yī
于是就天天骑着马外出兜风，乐此不疲。终于有一

tiān sài wēng de ér zi dé yì wàng xíng jìng cóng fēi chí de mǎ bèi shang diào
天，塞翁的儿子得意忘形，竟从飞驰的马背上掉

le xià lái chéng le zhōng shēng cán jí shàn liáng de lín jū men yòu lái wèi wèn
了下来，成了终生残疾。善良的邻居们又来慰问，

sài wēng hái shi nà jù lǎo huà zěn me huì zhī dào tā bù huì dài lái hǎo de jié
塞翁还是那句老话：“怎么会知道它不会带来好的结

guǒ ne guò le yī nián hú rén dà jǔ rù qīn zhōng yuán
果呢？”过了一年，胡人大举入侵中原，

biān sài xíng shì zhòu rán chī jǐn shēn qiáng lì zhuàng de qīng nián
边塞形势骤然吃紧。身强力壮的青年

dōu bèi zhēng qù dāng le bīng jié guǒ shí yǒu bā jiǔ dōu zài
都被征去当了兵，结果十有八九都在

zhàn chǎng shang sòng le mìng ér sài wēng de ér zi yīn wèi
战场上送了命。而塞翁的儿子因为

shì gè bǒ tuǐ miǎn fú bīng yì suǒ yǐ
是个跛腿，免服兵役，所以

tā men fù zǐ bì miǎn le zhè chǎng shēng lí sǐ
他们父子避免了这场生离死

bié de zāi nàn
别的灾难。

wáng yáng bǔ láo

亡羊补牢

zhàn guó shí qī chǔ xiāng wáng tān tú xiǎng lè duì guó shì yī diǎnr yě
战国时期，楚襄王贪图享乐，对国事一点儿也
bù shàng xīn dà chén zhuāng xīn xīn zhōng shí fēn jiāo jí xiàng chǔ xiāng wáng jìn
不上心，大臣庄辛心中十分焦急，向楚襄王进
jiàn shuō zhào zhè yàng xià qù chǔ guó zhǐ pà hěn kuài jiù yào miè wáng le
谏说：“照这样下去，楚国只怕很快就要灭亡了！”

wǔ gè yuè yǐ hòu qín guó guǒ rán chū bīng rù qīn chǔ guó chǔ guó de
五个月以后，秦国果然出兵入侵楚国。楚国的
dū chéng lún xiàn le xiāng wáng táo dào le qí guó de chéng yáng qù bì nàn dào
都城沦陷了，襄王逃到了齐国的城阳去避难。到
zhè shí tā cái xiāng xìn le zhuāng xīn de huà yú shì xiāng wáng pài rén dào
这时，他才相信了庄辛的话。于是，襄王派人到
zhào guó bǎ zhuāng xīn qǐng huí kěn qiè de shuō guò qù wǒ méi yǒu tīng xiān sheng
赵国把庄辛请回，恳切地说：“过去我没有听先生
de huà cái luò dào jīn tiān zhè bù tián dì qiú nǐ gěi zhǐ tiáo lù ba
的话，才落到今天这步田地，求你给指条路吧！”

zhuāng xīn jiàn xiāng wáng què yǒu huǐ guò zhī yì
庄辛见襄王确有悔过之意，
biàn gěi tā jiǎng le yī gè gù shi cóng qián yǒu gè
便给他讲了一个故事：“从前有个
mù mín yǎng le yī qún yáng yī tiān zǎo chen tā
牧民养了一群羊。一天早晨，他
hū rán fā xiàn yáng shǎo le
忽然发现羊少了
yī zhī tā wéi zhe yáng
一只。他围着羊
juàn zhuàn le yī quān yuán lái
圈转了一圈，原来
shì yáng juàn de lán gān
是羊圈的栏杆

shang huài le gè dòng yè lǐ láng zuān jìn yáng juàn bǎ yáng diāo zǒu le lín jū quàn
上坏了个洞，夜里狼钻进羊圈把羊叼走了。邻居劝

tā shuō nǐ zàn shí bǎ qí tā de huór fàng yi fàng xiān dǔ shàng zhè ge kū
他说：‘你暂时把其他的活儿放一放，先堵上这个窟

long ba mù mín shēng qì de shuō yáng yǐ jīng diū le hái xiū yáng juàn gàn
窿吧。’牧民生气地说：‘羊已经丢了，还修羊圈干

má dì èr tiān zǎo shang yáng juàn li yòu shǎo le yī zhī yáng yī dìng shì
吗？’第二天早上，羊圈里又少了一只羊，一定是

láng yòu diāo zǒu le yī zhī mù mín zhè shí cái hòu huǐ méi yǒu tīng lín jū de quàn
狼又叼走了一只。牧民这时才后悔没有听邻居的劝

gào gǎn jǐn xiū hǎo le yáng juàn guǒ rán cóng cǐ yǐ hòu tā de yáng zài yě
告，赶紧修好了羊圈。果然，从此以后，他的羊再也

méi yǒu diū guo
没有丢过。”

zhuāng xīn jiǎng wán gù shi duì xiāng wáng shuō lián mù rén dōu
庄辛讲完故事，对襄王说：“连牧人都

zhī dào wáng yáng bǔ láo de dào lǐ hé kuàng chǔ guó hái yǒu jǐ qiān
知道亡羊补牢的道理，何况楚国还有几千

lǐ de guó tǔ zhǐ yào dà wáng nín kěn gǎi guò zì xīn hái pà zhì
里的国土。只要大王您肯改过自新，还怕治

lǐ bù hǎo guó jiā ma
理不好国家吗？”

zhè piān yù yán gào su rén men yào suí shí
这篇寓言告诉人们：要随时

xū xīn tīng qǔ bié rén de yì jiàn chū
虚心听取别人的意见，出

le chā cuò yīng gāi shè fǎ jǐn kuài bǔ jiù
了差错应该设法尽快补救。

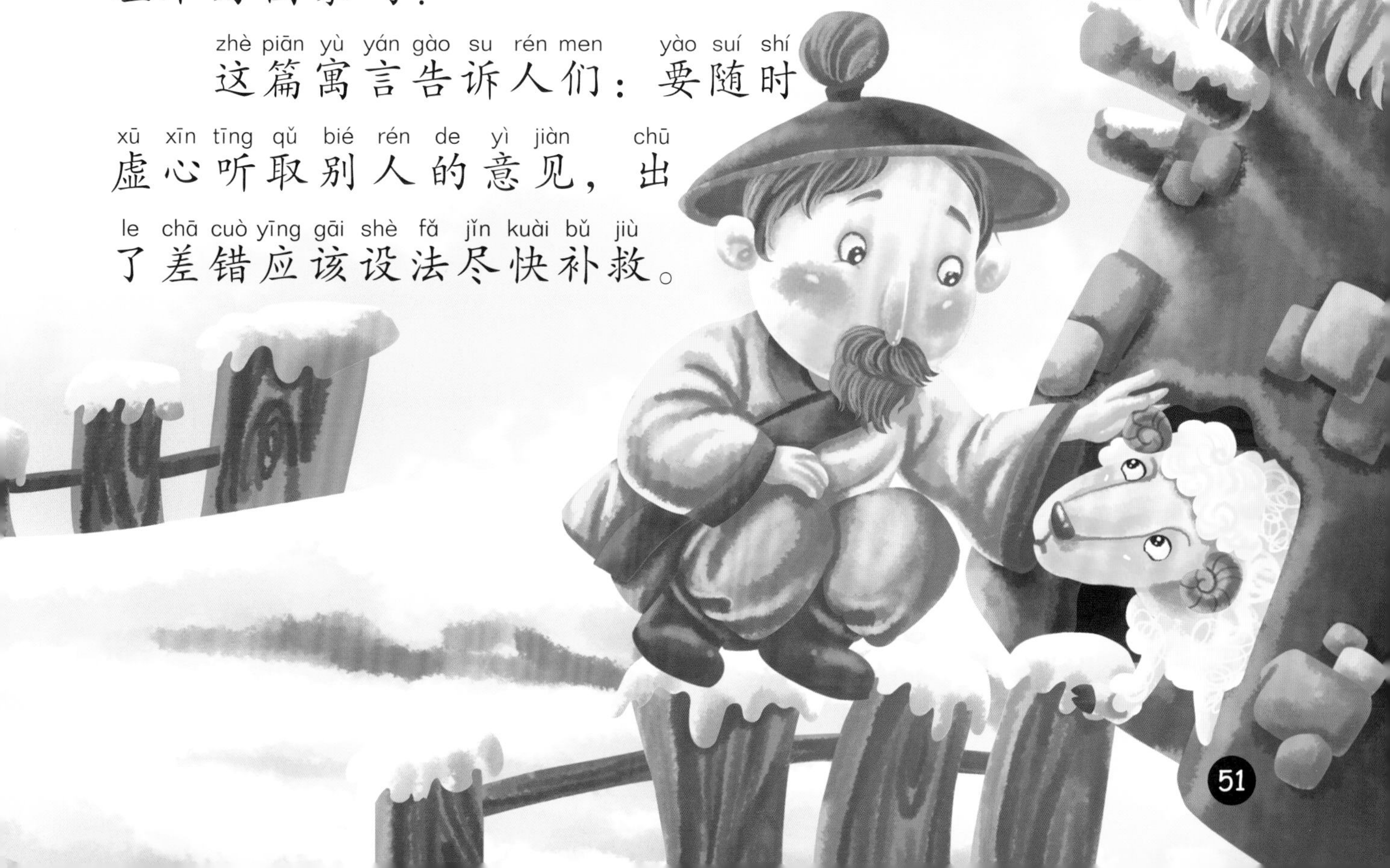

hǎi dà yú
海大鱼

jìng guō jūn tián yīng zhǔn bèi zài xuē dì zhù qǐ yī zuò gāo gāo de chéng chí
靖郭君田婴准备在薛地筑起一座高高的城池。
móu shì men jué de tā zhè yàng zuò tài guò zhāo yáo yú shì fēn fēn jìn yán xī
谋士们觉得他这样做太过招摇，于是纷纷进言，希
wàng tā fàng qì zhè ge jué dìng tián yīng yuè tīng yuè bù nài fán yú shì duì pú
望他放弃这个决定。田婴越听越不耐烦，于是对仆
rén shuō zài yǒu tán lùn shì fǒu xiū zhù chéngqiáng de rén yī lǜ bù jiàn
人说：“再有谈论是否修筑城墙的人，一律不见！”

qí guó yǒu gè
齐国有个
cōng míng rén
聪明人，
xiǎng yào qù shuō fú tián yīng yú shì duì tā de pú rén shuō wǒ
想要去说服田婴。于是对他的仆人说：“我
qǐng nín gào su jìng guō jūn wǒ jiù shuō sān gè zì duō yī gè zì
请您告诉靖郭君，我就说三个字。多一个字，
jiù gān yuàn shòu pēng zhǔ de xíng fá tián yīng tīng hòu jué de hěn hào
就甘愿受烹煮的刑罚。”田婴听后觉得很好
qí zài yuán dì zhuàn le jǐ quān chén sī zhe sān gè zì liào
奇，在原地转了几圈，沉思着：“三个字？料
tā yě shuō bu chū bié de hǎo ba nà jiù jiàn jian
他也说不出别的。好吧，那就见见！”

dé dào yǔn xǔ de nà ge rén yī liùr xiǎo pǎo zhe lái dào
得到允许的那个人一溜儿小跑着来到
tián yīng miàn qián dà shēng shuō hǎi dà yú shuō
田婴面前，大声说：“海、大、鱼！”说
wán huí tóu jiù zǒu
完回头就走。

tián yīng lèng zhù le xīn xiǎng
田婴愣住了，心想：
zhè shì shén me yì si a yǎ mí
这是什么意思啊？哑谜？

yǎn kàn zhe nà ge rén yǐ jīng zǒu dào mén kǒu yú
眼看着那个人已经走到门口，于
shì tián yīng dà jiào xiān sheng qiě
是田婴大叫：“先生，且
liú xià
留下！”

nà rén hái shi bù tíng bù de zǒu zhe
那人还是不停步地走着，
biān zǒu biān shuō wǒ kě bù gǎn bǎ shēng sǐ
边走边说：“我可不敢把生死
dàng ér xì
当儿戏！”

tián yīng shuō méi yǒu nà shì le
田婴说：“没有那事了，
nín jiē zhe shuō
您接着说！”

cōng míng rén fǎn huí lái rèn zhēn de shuō nín méi tīng shuō shuǐ li yǒu
聪明人返回来，认真地说：“您没听说水里有
zhè yàng de dà yú ma yú wǎng lāo bu dào tā yòng yú gōu diào tā yě bù
这样的大鱼吗？渔网捞不到它，用渔钩钓，它也不
shàng dàng yī zhí dōu zài shuǐ li zì yóu zì zài de shēng huó dàn shì rú guǒ
上当，一直都在水里自由自在地生活。但是，如果
cháo shuǐ zhǎng cháo bǎ tā tuī shàng àn nà tā jiù zhǐ néng chéng wéi mǎ yǐ de měi
潮水涨潮把它推上岸，那它就只能成为蚂蚁的美
cān le xiàn zài de qí guó yě jiù shì nín de shuǐ a nín yī zhí shòu zhe
餐了。现在的齐国，也就是您的水啊，您一直受着
qí guó de bì hù hái yào zài xuē dì zhù chéng gàn shén me ne yào shi qí guó
齐国的庇护，还要在薛地筑城干什么呢？要是齐国
de dà wáng jué de nín jiāo ào zì dà bù zài bǎo hù nín jiù suàn nín bǎ xuē
的大王觉得您骄傲自大，不再保护您，就算您把薛
dì de chéng qiáng jiàn de xiàng tiān yī yàng gāo yòu yǒu shén me hǎo chù ne
地的城墙建得像天一样高，又有什么好处呢？”

tián yīng tīng wán huǎng rán dà wù fàng qì le yú chǔn de xiǎng fǎ
田婴听完恍然大悟，放弃了愚蠢的想法。

zhè ge yù yán shuō míng shuō huà bàn shì jiǎng qiú fāng shì fāng fǎ duì
这个寓言说明，说话办事讲求方式、方法，对
zhèng xià yào cái néng qǔ dé zì jǐ xiǎng yào de xiào guǒ
症下药，才能取得自己想要的效果。

huà shé tiān zú

画蛇添足

kàn kan nǐ men dòng zuò duō màn ya yǒu shéi néng bǐ de shàng wǒ zhè
“看看你们，动作多慢呀！有谁能比得上我这
ge huà huà tiān cái kōng kuàng de tǔ dì shang měi gè rén dōu yòng zhú zhī zài
个画画天才。”空旷的土地上，每个人都用竹枝在
dì shang huà lái huà qù zhǐ yǒu yī gè rén yǐ jīng huà wán le tā zhèng
地上画来画去。只有一个人已经画完了，他正
zài dé yì de dōng kàn xī kàn
在得意地东看西看。

shì qing shì zhè yàng de guò jié le zhǔ rén gěi
事情是这样的：过节了，主人给
pú rén men yī hú jiǔ zhè hú jiǔ dà jiā dōu lái hē zé bù
仆人们一壶酒，这壶酒大家都来喝则不
gòu yī gè rén hē zé yǒu yú yú shì dà jiā
够，一个人喝则有余。于是大家
shāng liang zài dì shang bǐ sài huà shé shéi xiān huà
商量，在地上比赛画蛇，谁先画
hǎo shéi jiù hē zhè hú jiǔ
好，谁就喝这壶酒。

dì yī gè huà hǎo de rén
第一个画好的人
jiàn méi yǒu rén dā li tā jué
见没有人搭理他，觉
de zhēn shi méi yì si bù guò
得真是没意思。不过，
jì rán zì jǐ huà hǎo le nà me jiǔ
既然自己画好了，那么酒
dāng rán shì zì jǐ de la yú
当然是自己的啦！于
shì tā zuǒ shǒu ná zhe jiǔ
是，他左手拿着酒
hú yòu shǒu jì xù huà
壶，右手继续画

蛇，说：“我还能再给它添上几只脚呢！”可怜的蛇呀，就这样变成了四不像！

没等他把脚画完，另一个人也把蛇画好了。那人歪着头，看看这个一心一意给蛇添脚的家伙，把壶抢过去，咕咚咕咚地喝起酒啦。他说：“蛇本来是没有脚的，你怎么能给它添脚呢！”

“你……”第一个人本来有点儿不服气，但是想想人家说的也挺有道理，真是画蛇添足啊！于是，那个给蛇添脚的人最终失去了那壶酒。

狐假虎威

小老虎遇到一只狡猾的狐狸。“狐狸，我要吃掉你！”小老虎恶狠狠地说。“森林里的动物都是我的食物，我想吃谁就吃谁！”

“吃掉我？”狐狸指着自己的鼻子，笑了起来，“你知道我是谁吗？”这下小老虎可被搞晕啦。它拍拍自己的脑袋，好奇地问：“你不是狐狸吗？”

“错！大错特错！我和其他的狐狸一样吗？”狐狸挺挺胸脯，把尾巴翘得老高。

“不……不一样……”小老虎结巴地说。

“聪明！”狐狸把嘴巴凑到老虎的耳边，小声说，“让我来告诉你一个秘密——我是‘天王’，专门管你们的！”

“你？你是‘天王’？”老虎不相信地摇摇头，“狐狸可狡猾了，你说什么我都不信。想骗我？没那么容易！”

“你吃你吃！你吃掉我吧！”狐狸把眼睛

一闭，满不在乎，“你吃了我，天神就会用雷把你一家都消灭掉！”小老虎被吓住了。“我知道你为什么不肯相信！”狐狸看透了老虎的心思，“要是不信，就和我去森林里转一圈，看看是你厉害，还是我厉害！”

狐狸和老虎一前一后出现在小动物面前。众兽看见了，都吓得四处逃窜。“怎么样！怎么样！”狐狸得意地大叫起来。老虎不知道所有的野兽是因为怕自己而逃走的，还以为它们真的是害怕狐狸呢！

这个故事告诉我们，不要被表面现象蒙蔽，要善于思考，才能发现事情的真相，用自己的头脑做出准确的判断。

jīng gōng zhī niǎo

惊弓之鸟

gēng léi péi tóng wèi wáng sàn bù kàn jiàn yuǎn chù yǒu yī zhī dà yàn
更羸陪同魏王散步，看见远处有一只大雁
fēi lái gēng léi wēi wēi yī xiào duì wèi wáng shuō nín xiǎng yào zhè zhī
飞来。更羸微微一笑，对魏王说：“您想要这只
dà yàn ma wǒ bù yòng jiàn zhǐ yào lā la gōng xián jiù kě yǐ ràng nà zhī
大雁吗？我不用箭，只要拉拉弓弦，就可以让那只
fēi niǎo diē luò xià lái
飞鸟跌落下来。”

wèi wáng tīng le sǒng jiān yī xiào wǒ men dōu zhī dào nǐ de jì yì
魏王听了，耸肩一笑：“我们都知道你的技艺
gāo chāo dàn shì bù yòng jiàn wèi miǎn tài chuī niú le ba gēng léi zì xìn
高超，但是不用箭，未免太吹牛了吧？”更羸自信
de shuō néng kàn wǒ de shǒuduàn
地说：“能，看我的手段！”

bù yī huìr nà zhī dà yàn fēi dào le tóu dǐng shàng kōng zhǐ jiàn gēng
不一会儿，那只大雁飞到了头顶上空，只见更
léi lā gōng kòu xián suí zhe bēng de yī shēng xián xiǎng zhǐ jiàn dà yàn xiān
羸拉弓扣弦，随着“嘣”的一声弦响，只见大雁先
shì xiàng gāo chù měng de yī chōng suí hòu zài kōng zhōng wú lì de pū shan jǐ xià
是向高处猛地一冲，随后在空中无力地扑扇几下，
biàn yī tóu zāi luò xià lái
便一头栽落下来。

wèi wáng jīng qí de bàn tiān hé bu shàng zuǐ pāi zhǎng dà jiào dào
魏王惊奇得半天合不上嘴，拍掌大叫道：
āi yā zhēn shi yì xiǎng bù dào nán dào nǐ shì shén xiān gēng léi
“哎呀，真是意想不到！难道你是神仙？”更羸
shuō bù shì wǒ de jiàn shù gāo chāo ér shì yīn wèi zhè zhī dà yàn shēn
说：“不是我的箭术高超，而是因为这只大雁身
shang yǒu shāng
上有伤。”

wèi wáng gèng qí guài le dà yàn yuǎn zài tiān biān nǐ shì qiān lǐ yǎn
魏王更奇怪了："大雁远在天边，你是千里眼

ma nǐ néng kàn dào nà me yuǎn de dì fang
吗？你能看到那么远的地方？"

gēng léi shuō zhè zhī dà yàn fēi de hěn màn míng shēng bēi liáng gēn
更羸说："这只大雁飞得很慢，鸣声悲凉。根

jù wǒ de jīng yàn fēi de màn shì yīn wèi tā tǐ nèi yǒu shāng míng shēng
据我的经验，飞得慢，是因为它体内有伤；鸣声

bēi shì yīn wèi tā cháng jiǔ lí qún zhè zhī gū yàn shāng kǒu wèi yù jīng
悲，是因为它长久离群。这只孤雁伤口未愈，惊

hún bù dìng suǒ yǐ yī tīng jiàn jiān lì de gōng xián shēng biàn jīng táo gāo
魂不定，所以一听见尖厉的弓弦声便惊逃高

fēi yóu yú jí pāi shuāng chì yòng lì guò měng
飞。由于急拍双翅，用力过猛，

yǐn qǐ jiù shāng bèng liè cái diē luò xià lái
引起旧伤迸裂，才跌落下来。"

伯乐怜马

伯乐驾车在山下走，不远处有一匹马在爬山。它吃力地伸着蹄子，弯着膝盖向前走，真是一匹可怜的马！它的肩胛处的毛给磨得秃秃的，尾巴下垂，脚掌也烂了，浑身汗水直流，拉到半山坡便走不动了，驾着车辕不能继续上山。

“多么懒的老马呀！”马的主人一边骂着，一边狠狠地用鞭子抽打着老马，“快爬呀！”伯乐赶忙下了车，抚摸着这匹马心疼地哭起来，并脱下自己的衣服盖在马身上。这时，马低着头喷着鼻子，随后就仰头长鸣，嘹亮的声音直达天际。

“啊，我从来不知道马会叫得这样好听！”马的主人惊讶极了。“这是一匹千里马！”伯乐伤心地说。

千里马最难遇的是伯乐，人才最难遇的是知音。

mǎ jià shí bèi

马价十倍

hǎo xīn de bó lè xiān sheng nín lái bāng bang wǒ ba suī rán wǒ de
“好心的伯乐先生，您来帮帮我吧！虽然我的
mǎ hěn hǎo què méi yǒu rén mǎi wǒ de qián bèi rén tōu le zhǐ yǒu mài diào mǎ
马很好，却没有人买。我的钱被人偷了，只有卖掉马
cái néng huí jiā qù yī gè mǎ shāng qǐng qiú dào
才能回家去！”一个马商请求道。

mǎ shì bù cuò bó lè xiān sheng yǒu xīn bāng zhè ge kě lián de rén
“马是不错。”伯乐先生有心帮这个可怜的人。
dàn shì wǒ kàn mǎ de fèi yong hěn gāo yào shi miǎn fèi gěi nǐ píng jià le
“但是，我看马的费用很高，要是免费给你评价了
mǎ bié rén huì shuō wǒ bù gōng dao de
马，别人会说我不公道的！”

bù bù bù mài mǎ rén lián lián bǎi shǒu shuō nín bù xū
“不不不。”卖马人连连摆手说，“您不需
yào píng jià wǒ de mǎ wǒ zhǐ xiǎng ràng nín kàn kan wǒ de mǎ rào zhe
要评价我的马。我只想让您看看我的马，绕着
wǒ de mǎ zhuàn jǐ quān lín zǒu shí zài huí guò tóu qù
我的马转几圈，临走时再回过头去
kàn tā yī yǎn wǒ huì hǎo hǎo bào dá nín de
看它一眼，我会好好报答您的。”

qiān jīn mǎi shǒu

千金买首

dà wáng yǒu lìng zhēng jí qiān lǐ mǎ gǔ dài yǒu yī gè guó wáng

“大王有令！征集千里马！”古代有一个国王，

tā xiǎng yòng qiān jīn gāo jià mǎi yī pǐ qiān lǐ mǎ guó wáng de shì cóng fēn fēn chū

他想用千金高价买一匹千里马。国王的侍从纷纷出

fā qù xún zhǎo qiān lǐ mǎ qiān jīn zhè shì duō me dà de shǎng cì ya

发，去寻找千里马。千金，这是多么大的赏赐呀！

zhōng yú yī gè shì cóng xún zhǎo dào le yī pǐ qiān lǐ mǎ kě shì děng

终于，一个侍从寻找到了一匹千里马。可是等

tā qù qǐng qiú zhǔ rén mài mǎ de shí hou qiān lǐ mǎ dé le jí bìng sǐ diào

他去请求主人卖马的时候，千里马得了急病，死掉

le zhè kě zěn me bàn shì cóng de pán chan huā wán le zǒng bù néng bēi

了。“这可怎么办？”侍从的盘缠花完了，总不能背

zhe sǐ mǎ gěi guó wáng kàn ba shì cóng chóu de chī bu hǎo shuì bu zháo jīng

着死马给国王看吧！侍从愁得吃不好，睡不着。经

guò zuǒ sī yòu xiǎng tā hái zhēn xiǎng chū le yī gè zhǔ yi

过左思右想，他还真想出了一个主意：

yòng wǔ bǎi jīn de jià qián xiàng zhǔ rén gòu mǎi sǐ mǎ de tóu

用五百金的价钱向主人购买死马的头。

bào gào qiān lǐ mǎ zhǎo dào la shì cóng

“报告！千里马找到啦！”侍从

yòng fēi gē chuán shū bǎ zhè ge hǎo xiāo xi bào gào gěi guó

用飞鸽传书把这个好消息报告给国

wáng guó wáng jué dìng jǔ xíng lóng zhòng de diǎn lǐ

王。国王决定举行隆重的典礼，

准备迎接万里之外买回的千里马。可是，等他一看，居然只是一个死马的头，不由大怒：“我要的是活的千里马！五百金买一个死马头有什么用？”侍从不慌不忙地对国王说：“恭喜大王，您想要的千里马马上就会被送来的！”

“哦？说说理由！”国王不相信，“要是没有理由，我一样要你的头！”

“大王呀！您用五百两黄金换来了一个马头，说明您是真的爱千里马。这样，天下人看到了您寻求千里马的决心，自然会把千里马给您送上门的。”

国王觉得侍从说得很有道理，就原谅了他。果然，全国上下都传说着国王重金买马头的事。于是不到一年，各地送来的千里马就有三匹。

这个故事说明，只要真正地重视人才，就一定会得到人才的。

朝三暮四

“我们有个很好的主人，他特别喜欢猴子。”猴子丁丁向新来的伙伴说。“他早晨喂我们橡子，晚上还要再喂我们一次。”

“真的呀！”新来的猴子听得直咽口水。“我可喜欢吃橡子了。这个主人真不错呀！”

就这样，狙公家的猴子越来越多。狙公这样喜欢猴子，时间长了，渐渐摸透了猴子们的心理，猴子也能懂主人的话。

这一年，宋国闹了大饥荒，就算是富裕的狙公，家里的粮食也越来越少了。他想少喂猴子一点儿粮食，但又怕猴子们不答应。于是他哄着猴子们说：“现在家里粮食不够吃了，从今以后，给你们吃的橡子减少一点儿，早晨三颗，晚上四颗，够了吧？”

一只猴子用自己的手比画了几下，马上就喊起来：“太少了，不干，不干。”

“那怎么办呢？”狙公灵机一动，连忙改口说，“那么早上吃四颗，晚上吃三颗，该够了吧？”

“原来早上吃三颗，现在早上吃四颗，明显是多了呀！”猴子们纷纷商量，“好好好，真划算！”

“我们的主人最好了！还能听取我们的意见。”狙公听了猴子们的话，捂着嘴，偷偷地笑了。猴子一听早晨可以吃四颗橡子，以为增加了口粮，都十分满意。

这个故事告诉人们，要善于透过现象看清本质，因为无论形式有多少种，本质只有一种。要是被各种形式忽悠了，那和自作聪明的猴子有什么区别呢？

yān rén huán guó

燕人还国

wǒ de gù xiāng wǒ yǐ jīng duō nián méi yǒu huí lái le yī wèi zhǎng
“我的故乡，我已经多年没有回来了。”一位长
zhe cháng cháng hú zi de yān guó rén shēng zài yān guó zhǎng zài chǔ dì zhí
着长长胡子的燕国人，生在燕国，长在楚地，直
dào bái fà cāng cāng shí cái chóng fǎn gù guó
到白发苍苍时才重返故国。

zhè me duō nián méi yǒu huí dào gù xiāng bù zhī dào gù xiāng biàn chéng le
“这么多年没有回到故乡，不知道故乡变成了
shén me yàng zi shì gèng hǎo le hái shi gèng huài le mǎ chē lí zì jǐ
什么样子？是更好了，还是更坏了？”马车离自己
de gù xiāng yuè jìn yān guó rén xīn lǐ yuè bù ān zhè yàng yī lián hǎo jǐ tiān
的故乡越近，燕国人心里越不安。这样一连好几天，
yān guó rén dū nang gè bù tíng bǎ tóng xíng de rén gǎo de fán tòu le
燕国人嘟囔个不停，把同行的人搞得烦透了。

zhōng yú yǒu yī tiān yī gè tóng xíng de rén zhǐ zhe yī gè tǔ pō shuō
终于有一天，一个同行的人指着一个土坡说：
zhè jiù shì nǐ lí bié duō nián de yān guó chéng chí a shì ma yān
“这就是你离别多年的燕国城池啊。”“是吗？”燕
guó rén gǎn kuài bǎ tóu shēn chū qù kàn zhǐ jiàn hěn duō qīng cǎo zài wēi fēng li màn
国人赶快把头伸出去看，只见很多青草在微风里慢
màn yáo dòng jǐ zhī tián shǔ zài cǎo dì shang tàn tóu tàn nǎo
慢摇动，几只田鼠在草地上探头探脑。

“太惨了！”燕国人忍不住掩住自己的脸，哭起来。“我这么多年没回来，也不知道自己的亲戚都怎么样了？”

“哈哈哈……”同行的人笑了几声，又指着一座坟墓骗他说，“这就是你家的祖坟。”看到年久失修的土包，这个燕人更是接受不了，从车上下来，跪在地上，放声痛哭起来。同行的人再也忍不住了，说：“我骗你呢，这里是晋国啊。”

“晋国？”这个燕人羞惭万分。后来，等他们来到燕国，真的看见燕国的城池和土地庙，看见了祖先的故居和坟墓时，这个燕人的悲凄心情反而淡薄了，哭得没那么厉害啦。

qǐ rén yōu tiān

杞人忧天

chūn qiū shí qī qǐ guó yǒu yī gè rén zhěng tiān chī bu hǎo fàn shuì
春秋时期，杞国有一个人，整天吃不好饭，睡
bu zháo jiào mǎn liǎn yōu chóu de shén sè
不着觉，满脸忧愁的神色。

tā de yī gè péng you wèi tā dān yōu guān qiè de wèn nǐ yǒu shén
他的一个朋友为他担忧，关切地问：“你有什
me fán nǎo de shì ma
么烦恼的事吗？”

zhè ge rén tàn le kǒu qì shuō ài wǒ zǒng shì dān xīn tiān huì
这个人叹了口气说：“唉！我总是担心天会
zhuì luò xià lái dì huì tā xiàn xià qù dào shí hou wǒ jiù méi yǒu dì
坠落下来，地会塌陷下去，到时候我就没有地
fang duǒ cáng le nà kě zěn me bàn a
方躲藏了，那可怎么办啊？”

tā de péng you jiàn tā zhěng tiān zhè yàng yōu chóu
他的朋友见他整天这样忧愁，
jiù kāi dǎo tā shuō tiān bù guò shì jī jù zài yī
就开导他说：“天不过是积聚在一
qǐ de qì tǐ bà le tiān dì zhī jiān
起的气体罢了，天地之间
chōng mǎn le qì nǐ de
充满了气。你的

一举一动、一呼一吸都与气体相通，你整天都生活在天的中间，怎么还担心天会塌下来呢？”

杞人听了，更加惶恐不安，忙问：“如果天真的是由气体积聚起来的，那么日月星辰挂在气体的上面，难道不会坠落下来吗？”朋友答道：“日月星辰也是由气体积聚而成的，只不过会发光罢了，即使掉下来，也不会砸伤人的。”

杞人沉思了一会儿，还是不放心，继续追问：“如果大地塌陷下去，那可怎么办呢？”朋友耐心地解释说：“大地不过是堆积起来的土块罢了。这些土块到处都是，塞满了每一个角落。你每天都在大地上践踏行走，随心所欲地奔走跳跃，为什么还要担心它会塌陷下去呢？”

经过朋友耐心地开导，这个杞国人终于抛开了顾虑，又快快乐乐地过日子了。

这个寓言是嘲笑那些为本来不用担忧的事而担忧发愁的人。

愚公移山

太行、王屋两座大山，十分巍峨，原来位于冀州的南部、黄河的北岸。它们连绵起伏，高耸入云。如果要翻越它们，将花费近一个月的时间。

北山脚下有个叫愚公的老爷爷，年纪将近九十岁了，面对着山居住。苦于被大山阻隔，出门都要绕路，于是他召集全家人商量说：“让我们大家用尽全力铲平这两座大山，这样我们就可以直通豫州南部，到达汉水了，好不好？”大家觉得愚公说得很有道理，纷纷点头，赞同他的意见。

“父亲的提议很好。我每次去豫州，都要背着大包的干粮，山上狼多，又要拿着木棒，一来一回很费时间。”儿子听了父亲的话，深表赞同。“爷爷的主意真妙！”小孙子拍着巴掌叫起来，“要是我们真的能把大山搬走，以后父亲就有更多时间来陪我了！爷爷，我也要去搬山！”愚公听了小孙子的话，微笑着摸摸他的头：“好，好，好，我们一起干，把大山搬走。”

愚公的妻子怀疑地问：“凭你的力量，连魁父这样的小山包都削不平，又能把太行、王屋这两座山怎么样呢？况且挖下来的山石，我们放到哪里好呢？”大家想了想说：“把土石扔到渤海的边上，隐土的北面吧。”

于是愚公带领三个能挑担子的子孙，凿石头，挖泥土，用簸箕把这些东西运送到渤海的边上。邻居家有个小孩儿刚七八岁，蹦蹦跳跳去帮助他们。就这样，大家一起不停地努力，来不及回家。春去秋来，一年过去了，他们才回来看看家人。

河曲有个聪明的老头儿讥笑愚公说：“你太不聪明了。你都九十岁了，只能毁掉山的一点儿，山这么高大，真是不自量力啊。”愚公长叹一声说：

“你思想顽固，还不如弱小的孩子呢。即使我死了，还有儿子在呀；儿子又生孙子，孙子又生儿子；儿子又有儿子，儿子又有孙子；子子孙孙没有穷尽的时候。可是山不会增加高度。只要大家一直努力下去，还愁挖不平吗？”河曲智叟无言以对了。

“叮叮当当，叮叮当当。”山神一开始听着这样的声音，还能当作优美的音乐。可是愚公一家人坚持了一年又一年。他就忍不住想去问问了。于是，山

shén pài zì jǐ de shǒu xià
神派自己的手下
qián lái dǎ tàn
前来打探。

shān shén dà ren yú
“山神大人，愚
gōng zhǔn bèi bǎ shān bān zǒu měi tiān dōu zài rè
公准备把山搬走，每天都在热
huǒ cháo tiān de máng lù ne shǒu xià huí bào shuō dà
火朝天地忙碌呢！”手下回报说，“大
shì bù hǎo wǒ men jiāng lái zhù zài nǎ li ya
事不好，我们将来住在哪里呀？”

shān shén yě pà yú gōng bù tíng de wā xià qù zuì hòu zì jǐ méi yǒu
山神也怕愚公不停地挖下去，最后自己没有
dì fang jū zhù jiù xiàng tiān dì bào gào le zhè jiàn shì tiān dì bèi yú gōng
地方居住，就向天帝报告了这件事。天帝被愚公
de chéng xīn gǎn dòng mìng lìng kuā é shì de liǎng gè ér zi bēi zǒu le liǎng zuò
的诚心感动，命令夸娥氏的两个儿子背走了两座
shān yī zuò fàng zài shuò fāng de dōng bù yī zuò fàng zài yōng zhōu de nán miàn
山。一座放在朔方的东部，一座放在雍州的南面。
cóng cǐ jì zhōu de nán bù hàn shuǐ de nán miàn zài yě méi yǒu dà shān
从此，冀州的南部、汉水的南面，再也没有大山
zǔ gé le
阻隔了。

纪昌学射

古代，有一位射箭能手叫甘蝇，只要他一拉开弓，总能满载而归。他有一个学生叫飞卫，是他的得意弟子，箭法也十分出色。有个叫纪昌的人，准备跟着飞卫学习射箭。

飞卫摸着胡子说：“你先学会看东西不眨眼睛，然后我们再谈射箭。”“不眨眼，这有何难？”纪昌回到家里，仰面倒下，躺在妻子的织布机下，用眼睛注视着纺锤，练习不眨眼睛。两年之后，即使是锥子尖刺到他的眼眶里，他

de yǎn jing yě wén sī bù dòng
的眼睛也纹丝不动。

jǐ chāng yòu pǎo lái zhǎo fēi wèi xué
纪昌又跑来找飞卫学
shè jiàn fēi wèi hái shi yáo tóu shuō zhè
射箭。飞卫还是摇头说："这
hái bù gòu a děng nǐ kàn xì wēi de
还不够啊，等你看细微的
dōng xi xiàng dà wù tǐ yī yàng róng yì
东西像大物体一样容易，
rán hòu zài lái ba
然后再来吧。"

jǐ chāng yòng niú wěi ba de máo jì zhù yī zhī shī zi bìng xuán guà zài chuāng
纪昌用牛尾巴的毛系住一只虱子并悬挂在窗
kǒu yuǎn yuǎn de kàn zhe tā shí tiān bàn yuè zhī hòu kàn shī zi yuè lái yuè
口，远远地看着它，十天半月之后，看虱子越来越
dà le sān nián zhī hòu shī zi zài tā yǎn li yǒu chē lún nà me dà tā
大了；三年之后，虱子在他眼里有车轮那么大。他
zhuǎn guò tóu lái kàn qí tā dōng xi dōu xiàng shān qiū yī yàng dà
转过头来看其他东西，都像山丘一样大。

jǐ chāng yòu zhǎo dào fēi wèi xué shè jiàn fēi wèi dì gěi tā yī bǎ xì xì
纪昌又找到飞卫学射箭。飞卫递给他一把细细
de zhú miè zuò chéng de gōng yòu gěi tā bǐ tóu fa sī hái xì shí bèi de jiàn
的竹篾做成的弓，又给他比头发丝还细十倍的箭：
nǐ qù bǎ nà zhī shī zi de xīn shè chuān ba
"你去把那只虱子的心射穿吧！"

jǐ chāng yí huò de wān gōng shè jiàn guǒ rán zuò dào le fēi wèi gāo
纪昌疑惑地弯弓射箭，果然做到了！飞卫高
xìng de pāi zhe jǐ chāng de jiān shuō nǐ yǐ jīng zhǎng wò le shè jiàn de jì
兴地拍着纪昌的肩，说："你已经掌握了射箭的技
qiǎo le
巧了！"

zuò rèn hé shì qing dōu yào kǔ liàn jī běn gōng dǎ hǎo jī chǔ jiān chí
做任何事情都要苦练基本功，打好基础，坚持
bù xiè zhè yàng cái néng huò dé zuì hòu de chénggōng
不懈，这样才能获得最后的成功。

九方皋相马

伯乐是善于识别马的大师。但是，他老了，体力已渐渐不支。一天，秦穆公对伯乐说：“您的年纪大了，相马要走很长的路，您看，谁能接替您呢？”伯乐说：“我有一个朋友叫九方皋，那人也是个相马好手。您可以让他试试看。”

穆公召见了九方皋，派他出去寻找千里马。三个月后，九方皋回来报告说：“已经找到了，是一匹黄色的母马。”穆公听了这个消息，很高兴，于是派人去把马牵来，一看，却是黑色的公马。穆公生气地对伯乐说：“糟透了！你推荐的人，连马的颜色

hé cí xióng dōu gǎo bu qīng chu yòu zěn néng shí bié nǎ pǐ shì qiān lǐ mǎ ne
和雌雄都搞不清楚，又怎能识别哪匹是千里马呢？”

shì ma bó lè dìng jīng yī kàn rěn bu zhù gǎn kǎi de zàn tàn
“是吗？”伯乐定睛一看，忍不住感慨地赞叹
shuō xiàng mǎ jìng dá dào le zhè zhǒng dì bù zhè zhèng shì tā bǐ wǒ gāo míng
说，“相马竟达到了这种地步，这正是他比我高明
qiān wàn bèi de yuán yīn ya jiǔ fāng gāo zhǐ guān chá dào tā suǒ xū yào guān chá de
千万倍的原因呀。九方皋只观察到他所需要观察的，
ér hū shì le tā bù bì yào guān chá de xiàng tā zhè yàng xiàng chū de mǎ cái
而忽视了他不必要观察的。像他这样相出的马，才
shì bǐ yī bān de hǎo mǎ gèng zhēn guì de qiān lǐ mǎ a dà wáng nín yào de
是比一般的好马更珍贵的千里马啊！大王，您要的
shì shàn cháng bēn pǎo de mǎ hé bù ràng zhè pǐ mǎ pǎo qǐ lái shì shi ne
是擅长奔跑的马，何不让这匹马跑起来试试呢？”

mǎ pǎo qǐ lái le guǒ rán shì wàn lǐ tiāo yī de hǎo mǎ
马跑起来了，果然是万里挑一的好马！

zhè ge yù yán gào su wǒ men yào zhēn zhèng rèn shi
这个寓言告诉我们，要真正认识
yī jiàn shì wù bì xū tòu guò xiàn xiàng zhuā zhù shì
一件事物，必须透过现象，抓住事
wù de běn zhì
物的本质。

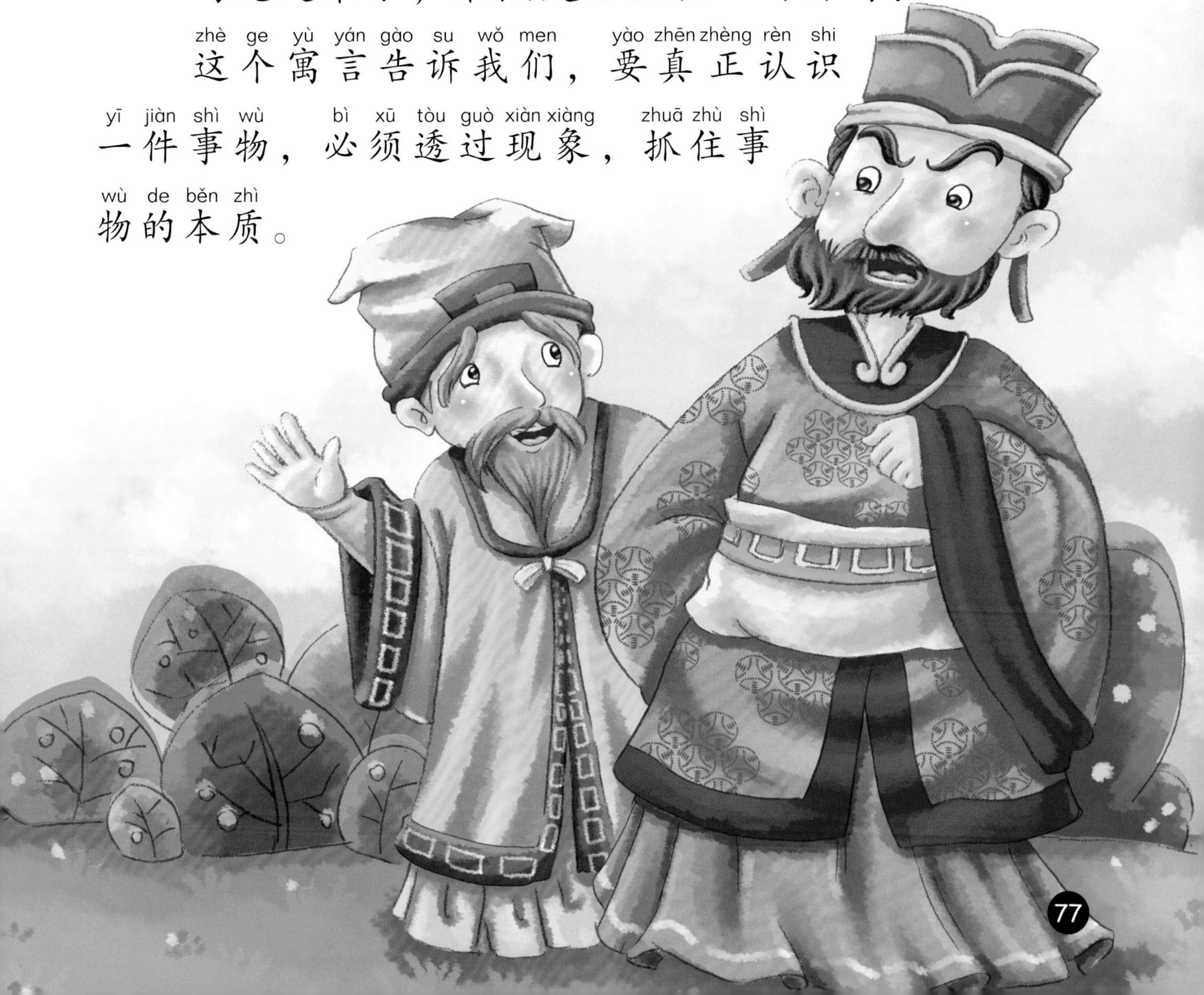

yú yīn rào liáng

余音绕梁

cóng qián yǒu yī wèi shàn
从前，有一位善
yú chàng gē de rén jiào hán
于唱歌的人，叫韩
é yī cì tā zài qù wǎng qí guó de
娥。一次，她在去往齐国的
tú zhōng fā xiàn zì jǐ shēn shang méi yǒu
途中，发现自己身上没有
qián le yú shì zhǐ hǎo zài lín zī de yōng
钱了，于是只好在临淄的雍
mén mài chàng hǎo huàn qǔ yī diǎnr pán chan
门卖唱，好换取一点儿盘缠。

hán é de gē hóu yǔ zhòng bù tóng
韩娥的歌喉与众不同，
shēng yīn qīng cuì liáo liàng wǎn zhuǎn yōu yáng
声音清脆嘹亮，婉转悠扬。
zhè yàng de gē shēng ràng rén rú chī rú zuì
这样的歌声让人如痴如醉。
chàng wán yǐ hòu tīng zhòng hái bù kěn sàn
唱完以后，听众还不肯散
qù hán é lí kāi yōng mén hòu zài yī
去。韩娥离开雍门后，在一
gè lǚ diàn liú sù yǒu rén tīng shuō hán é
个旅店留宿。有人听说韩娥

chàng gē hǎo tīng biàn dào lǚ diàn qù zhǎo tā qǐng tā yǎn chàng
唱歌好听，便到旅店去找她，请她演唱。

hěn duō rén lái lǚ diàn zhǎo hán é chàng gē chǎo chǎo nào
很多人来旅店找韩娥唱歌，吵吵闹
nào de chǎng miàn ràng qí tā rén hěn fán nǎo yīn cǐ yǒu gè
闹的场面让其他人很烦恼。因此有个
zhuàng hàn shēng qì de shuō yào shi nǐ zài bǎ qí tā
壮汉生气地说："要是你再把其他
rén zhāo guò lái jiù bù yào zhù zài zhè li le
人招过来，就不要住在这里了！"
hán é rěn bu zhù wěi qu de kū le tā de kū
韩娥忍不住委屈得哭了。她的哭
shēng bēi shāng qī chǔ yī lián sān tiān dà jiā
声悲伤凄楚，一连三天，大家
dōu nán guò de chī bu xià fàn dà jiā yì lùn
都难过得吃不下饭。大家议论
fēn fēn shì shéi ràng hán é zhè yàng shāng
纷纷："是谁让韩娥这样伤
xīn a lín zī de rén men lì kè pài rén
心啊？"临淄的人们立刻派人
qù zhuī hán é kǔ kǔ wǎn liú hán é tuī cí
去追韩娥，苦苦挽留。韩娥推辞
bù diào biàn huí lái wèi dà jiā yòu yǎn chàng
不掉，便回来为大家又演唱
le yī cì tīng zhòng dōu hěn gāo xìng jǐ
了一次。听众都很高兴，几
tiān lái de bēi shāng qíng xù yī sǎo ér kōng
天来的悲伤情绪一扫而空。

yóu yú hán é de gē shēng wǎn zhuǎn dòng tīng suǒ yǐ chàng wán yǐ hòu liǎng
由于韩娥的歌声婉转动听，所以唱完以后两
sān tiān sì hū hái yǒu yí liú de gē shēng zài wū liáng jiān liáo rào piāo dàng
三天似乎还有遗留的歌声，在屋梁间缭绕飘荡。

遇盗之戒

牛缺是位大儒。有一天，他在路上慢慢地走着。忽然，从路边冲出一伙蒙面大盗。大盗厉声说：“把你的盘缠交出来！”牛缺乖乖地照着做了。接着，有个强盗看到牛缺的衣服很华丽，毫不客气地用刀指着他说：“脱衣服，快！”牛缺很有涵养，什么也没说，把衣服脱下来递给他。强盗们还没遇到过这么听话的人，高兴地把他从车上赶下来，一伙人又笑又叫，抢了他的车跑掉了。牛缺摇摇头，

yòu jiē zhe gǎn lù
又接着赶路。

běn lái shì qing gāi dào cǐ wéi zhǐ le kě shì qiáng dào men zǒu zhe zǒu
本来事情该到此为止了，可是强盗们走着走
zhe yuè lái yuè jué de zhè ge rén bù xún cháng méi yǒu fǎn kàng méi yǒu āi
着，越来越觉得这个人不寻常：没有反抗，没有哀
qiú shèn zhì yě méi yǒu kū kū tí tí jīng huāng shī cuò de biǎo xiàn
求，甚至也没有哭哭啼啼、惊慌失措的表现。

zhè ge rén tài bù zhèngcháng le
“这个人太不正常了！”

shuō bu dìng tā jì zhù le wǒ men de xiàngmào zhǔn bèi gào guān
“说不定他记住了我们的相貌，准备告官！”

jǐ gè rén yuè xiǎng yuè bù ān zuì hòu yī zhì rèn wéi zhè ge rén
几个人越想越不安，最后一致认为：“这个人
jiāng lái yě xǔ yǒu fā dá de yī tiān dào le nà ge shí hou tā zài lái zhǎo wǒ
将来也许有发达的一天，到了那个时候，他再来找我
men suàn zhàng nà kě jiù cǎn le hái
们算账，那可就惨了，还
shi gān cuì zhǎn cǎo chú gēn ba
是干脆斩草除根吧。”

yú shì zhè huǒ qiáng dào zhuī shàng
于是，这伙强盗追上
niú quē bǎ tā shā le
牛缺，把他杀了。

指鹿为马

秦始皇死后，胡亥即位。丞相赵高阴险毒辣，独揽大权，一心想要篡夺秦二世的皇位。可赵高又唯恐群臣不服，于是就设法试探他们。

一天，赵高把一只鹿献给秦二世，对他说：“皇上，这是一匹宝马，它可以日行千里，夜行八百里。”秦二世一愣，笑着说：“丞相，你弄错了吧？这明明是鹿，你怎么说是马呢？”赵高坚持说是马，并要皇上再仔细看看。秦二世不解地说：“如果这是马，怎么会长角呢？”赵高乘机说：“皇上如果不信，可以问问大臣们啊！”

赵高转身问在场的大臣们：“你们说这是鹿还是马？”大臣们都被赵高的一派胡言搞得不知所措，私下里嘀咕：这个赵高搞什么名堂？是鹿是马这不是明摆着嘛！当看到赵高脸上露出阴险的笑容，两

zhī yǎn jing lún liú de dīng zhe měi gè rén de shí hou dà chén men hū rán míng bai
只眼睛轮流地盯着每个人的时候，大臣们忽然明白
le tā de yòng yì yī xiē dǎn xiǎo yòu yǒu zhèng yì gǎn de rén dōu dī xià tóu
了他的用意。一些胆小又有正义感的人都低下头，
bù gǎn shuō huà yīn wèi shuō jiǎ huà duì bu qǐ zì jǐ de liáng xīn shuō zhēn huà
不敢说话，因为说假话对不起自己的良心，说真话
yòu pà rì hòu bèi zhào gāo pò hài yǒu xiē zhèng zhí de rén jiān chí shuō shì lù
又怕日后被赵高迫害；有些正直的人坚持说“是鹿
bù shì mǎ hái yǒu yī xiē píng shí jiù jǐn gēn zhào gāo de jiān nìng zhī rén lì kè
不是马”；还有一些平时就紧跟赵高的奸佞之人立刻
duì huángshangshuō zhè què shì yī pǐ mǎ a
对皇上说：“这确是一匹马啊！”

shì lù shì mǎ de zhēng lùn dāng rán bù huì yǒu jié guǒ dàn shì gé bù
是鹿是马的争论当然不会有结果。但事隔不
jiǔ nà xiē gǎn yú shuō zhēn huà de rén dōu bèi zhào gāo zhǎo jiè kǒu xiàn hài zhì sǐ
久，那些敢于说真话的人都被赵高找借口陷害至死。
cóng cǐ cháozhōng dà chén men zài yě bù gǎn fǎn duì zhào gāo le
从此，朝中大臣们再也不敢反对赵高了。

zhè zé yù yán shēn kè
这则寓言深刻
de jiē lù le yǐ zhàng
地揭露了倚仗
quán shì diān dǎo hēi
权势、颠倒黑
bái hùn xiáo shì
白、混淆是
fēi qī shàng
非、欺上
yā xià de yě xīn
压下的野心
jiā men de chǒu
家们的丑
è zuǐ liǎn
恶嘴脸。

xiāo jiāng dōng xǐ

枭将东徙

mão tóu yīng zhù zài xī bian de shù lín li shì yè jiān zuì wéi huó yuè de niǎor bǔ shí shǔ lèi yǐ jí qí tā yī xiē xiǎo dòng wù

猫头鹰住在西边的树林里，是夜间最为活跃的鸟儿，捕食鼠类以及其他一些小动物。

àn shuō māo tóu yīng shì yì niǎo yīng gāi shòu dào rén men de huān yíng kě shì zhù zài shù lín páng biān de nà xiē rén què bìng bù xǐ huan māo tóu yīng zuò tā men de lín jū yīn wèi māo tóu yīng de jiào shēng shí zài tài nán tīng le tè bié shì dào le wǎn shang rén men ǒu ěr yǒu shì wài chū jīng guò nà piàn shù lín shí lěng bu fáng tīng dào tā men de jǐ shēng guài jiào xià de hún shēn qǐ jī pí gē da yú shì rén men zǒng shì xiǎng fāng shè fǎ yào gǎn zǒu māo tóu yīng

按说，猫头鹰是益鸟，应该受到人们的欢迎。可是住在树林旁边的那些人却并不喜欢猫头鹰做他们的邻居，因为猫头鹰的叫声实在太难听了。特别是到了晚上，人们偶尔有事外出，经过那片树林时，冷不防听到它们的几声怪叫，吓得浑身起鸡皮疙瘩，于是人们总是想方设法要赶走猫头鹰。

māo tóu yīng gǎn dào shí fēn kǔ nǎo xīn xiǎng zhè li de rén shí zài tài kè bó le wǒ yī dìng yào bān de yuǎn yuǎn de māo tóu yīng xià le jué xīn jié jìn quán lì xiàng dōng fāng fēi fēi ya fēi ya fēi le sān tiān sān yè lèi

猫头鹰感到十分苦恼，心想，这里的人实在太刻薄了，我一定要搬得远远的。猫头鹰下了决心，竭尽全力向东方飞，飞呀飞呀，飞了三天三夜，累得筋疲力尽，再也飞不动了，才停在途中的林子里休息。

一只斑鸠看见猫头鹰那副又沮丧又疲惫的模样，很是奇怪，就问它：“你累成这个样子，要去哪儿呀？”猫头鹰说：“我准备搬到东边去住。”斑鸠不解地看着它，说：“为什么呢？”猫头鹰叹了口气，说：“西边的人太难相处了。他们都讨厌我，说我的声音太难听，我在西边实在住不下去，非搬家不可了！这次我下决心搬到遥远的东边去，离西边越远越好！”斑鸠笑着说：“要想别人接纳你，只要改变你的叫声就可以了。如果你不能改变叫声，即使搬到东边去，东边村里的人照样会讨厌你的。”

这则寓言故事告诉人们：要勇于正视自己的缺点与不足。如果只是一味地埋怨环境不利以及别人的态度不友好，从而把改变境遇的希望寄托在改变环境上，那只能是徒劳无益的。

择人而树

阳虎得罪了卫国很多人，于是离开卫国到北边去见简子，说道："从现在起，我不再提拔人才了。"

"提拔人才是好事情呀，你为何不坚持了呢？"简子问道。

阳虎答道："在庙堂上的那些人，被我栽培的有很多；在朝廷的官吏里，被我培养的更不计其数；驻守边疆的将士，很多都是我提拔起来的。可是现在庙堂上的那些人，竟然在皇帝面前离间我；朝廷里的官吏，竟然在众人面前中伤我；驻守边疆的将士，竟然利用军队胁迫我。你看看，到处都恩将仇报嘛！”

简子说：“只有贤能的人才懂得报恩，不贤能的人是做不到的，就好像种树一样，你种下桃树、李子树，夏天有树荫可以休息，秋天就有果实可吃。要是你栽种荆棘，夏天没有树荫可以休息，秋天也只能得到它的刺。现在你所栽培的，都是蒺藜。今后，你先要选择好人加以栽培，不要栽培成功以后再来选择什么样的人对你忠诚或者不忠诚。”

这个故事教育我们，要在做事之前就想好，而不要在事情进行到中途，才来确定做事的目的。

叶公好龙

春秋时期，楚国的叶县有个叫叶公的县令，他非常喜欢龙，所以不管是随身佩戴的饰物、酒器、茶具、碗碟，还是梁柱、门窗、墙壁，几乎可以绘画的地方，他都让人画上了各式各样的龙。谁要去叶公家做客，都会有进入“龙宫”的感觉，叶公也常对人说：“我这一辈子最爱的东西，不是钱财，不是官位，而是龙。”

久而久之，叶公爱龙的名声传开了，大家都知道他是一个非常喜欢龙的县令。

后来，这个消息越传越远，不但临近好几个城的人知道，就连天上的真龙也知道了。起初，真龙以为是大家随便说说没当回事儿。可这消息越传越

shén zhēn lóng jiù jué dìng qīn zì dào rén jiān kàn kan jiàn jian zhè me xǐ ài
神，真龙就决定亲自到人间看看，见见这么喜爱
tā de yè gōng dào dǐ shì gè shén me yàng de rén
它的叶公到底是个什么样的人。

zhè tiān yè gōng zhèng zài wū zi li
这天，叶公正在屋子里
shuì wǔ jiào tū rán jiān chuāng wài fēng yǔ dà
睡午觉，突然间窗外风雨大
zuò léi shēng lóng lóng hūn tiān hēi dì yè
作，雷声隆隆，昏天黑地。叶
gōng bèi jīng xǐng le gǎn jǐn qù guān mén chuāng kě
公被惊醒了，赶紧去关门窗。可
dāng tā zǒu jìn chuāng hu shí jīng yà bù yǐ chuāng kǒu fú dòng zhe yī tiáo wēi
当他走近窗户时，惊讶不已：窗口浮动着一条威
wǔ yì cháng de lóng tā bù duàn bǎi dòng shēn tǐ kàn zhe wū nèi de yī qiè
武异常的龙，它不断摆动身体，看着屋内的一切。
yè gōng xiān shì yī lèng suí jí xià de hún fēi pò sàn duó mén jiù táo
叶公先是一愣，随即吓得魂飞魄散，夺门就逃。

zhēn lóng yòu dào le lìng yī jiān wū zi de chuāng kǒu zhè cì kàn dào yè
真龙又到了另一间屋子的窗口，这次看到叶
gōng shí tā yǐ jīng liǎn sè cāng bái hún shēn chàn dǒu le jiē zhe jiù dǎo zài
公时，他已经脸色苍白、浑身颤抖了，接着就倒在
dì shang yī dòng bù dòng le yuán lái yè gōng shì xià de hūn guò qù le zhēn
地上一动不动了：原来叶公是吓得昏过去了。真
lóng kàn dào yè gōng zhè fù mú yàng xīn xiǎng yuán lái zhè ge yè gōng bìng bù shì
龙看到叶公这副模样，心想，原来这个叶公并不是
zhēn zhèng xǐ huan lóng bù jīn dà shī suǒ wàng zhǐ dé sào xìng de fēi huí tiān
真正喜欢龙，不禁大失所望，只得扫兴地飞回天
shàng le
上了。

lín lǐ jiù xǐng yè gōng tīng le shì qing de jīng guò hòu dōu xiào le yǒu
邻里救醒叶公，听了事情的经过后都笑了。有
rén shuō yuán lái yè gōng bìng bù shì zhēn zhèng xǐ huan lóng tā zhǐ shì xǐ huan
人说："原来叶公并不是真正喜欢龙，他只是喜欢
zài qì wù shang huà lóng bà le cóng cǐ rén men zhī dào yè gōng bìng bù shì
在器物上画龙罢了。"从此，人们知道叶公并不是
zhēn zhèng xǐ huan lóng zhǐ bù guò shì xū zhāng shēng shì bà le
真正喜欢龙，只不过是虚张声势罢了。

魏人钻火

一个魏国人晚上得了重病，大声地催促仆人去找大夫。仆人打着哈欠，伸着懒腰，迷迷糊糊地起床，摸黑去钻火点蜡烛。

“你倒是快点儿呀！我肚子好疼呀！”魏国人大声嚷嚷着，不停地催促。仆人被催得急了，愤然回答：“你催什么催？现在这么黑，为何不拿火来给我照照？”

“这叫什么话！”魏国人听得晕头转向，生气地说，“我要是有火照明，还让你找什么火呀！”仆人听了，也觉得自己的话太过好笑，忍不住笑了起来。

我们说话、办事都要符合逻辑，符合实际情况，否则就要闹笑话。

对牛弹琴

从前，有个叫公明仪的人，非常善于弹琴。一次，他看到几头牛在不远处吃草，不由得想：“我的琴声牛会不会喜欢呢？”想着，公明仪弹了一首非常美妙的琴曲，可那些牛没有一点儿反应。

公明仪想了想，改变了弹法。这次，他弹出的声音像蚊子、牛虻扇动翅膀发出的声响。这回那几头牛有了一些反应，竖起耳朵，甩着尾巴，在草地上走来走去，像在跳舞一样。因为这琴声接近牛所熟悉的东西，所以它们终于听懂了公明仪的琴声。

大鳌与蚂蚁

有一群蚂蚁住在蚁冢上，整天为了生活忙忙碌碌，没有见过什么世面。“旅行家乐乐回来了，旅行家乐乐回来了。”这天，大家聚在一起，欢迎从各地游历归来的蚂蚁英雄乐乐。

乐乐站在土堆上，很神气地说：“你们知道吗？东海有只大鳌，我们也去见识见识吧！”

“你没有见过吗？”有的蚂蚁好奇地问。“没有，”乐乐举起一张纸说，“我是从书上看到的。书可是人类最有智慧的象征呀！”

“东海里面住着一只大鳌。这只大鳌体形非常巨大，让人看了惊叹不已。它潜入水中的时候，巨浪翻滚，涛声震天，海中卷起巨大的旋涡，这样的奇特景象简直叫人叹为观

zhǐ lè le rèn zhēn de gěi dà jiā niàn zhe shū shang de wén zì
止。”乐乐认真地给大家念着书上的文字。

wā mǎ yǐ men lián shēng zàn tàn qù dōng hǎi kàn áo de shì qing
“哇！”蚂蚁们连声赞叹。去东海看鳌的事情

jiù zhè yàng jué dìng la lái dào le dōng hǎi biān shang de mǎ yǐ men rì děng yè
就这样决定啦。来到了东海边上的蚂蚁们日等夜

pàn tū rán tiān hūn dì àn hǎi miàn shang xiān qǐ wàn zhàng gāo de jù làng làng
盼。突然天昏地暗，海面上掀起万丈高的巨浪，浪

tāo xiāng zhuàng de shēng yīn rú léi míng yī bān zhèn ěr yù lóng mǎ yǐ men dà shēng
涛相撞的声音如雷鸣一般震耳欲聋。蚂蚁们大声

hǎn dào yào xiǎo xīn na kǒng pà dà áo jiù yào chū xiàn le
喊道：“要小心哪，恐怕大鳌就要出现了！”

guò le jǐ tiān fēng jiàn jiàn tíng xī hǎi shuǐ yě huī fù le yǐ qián de
过了几天，风渐渐停息，海水也恢复了以前的

níng jìng yuǎn yuǎn wàng jiàn hǎi tiān xiāng jiē de dì fang màn màn shēng qǐ le yī zuò
宁静。远远望见海天相接的地方慢慢升起了一座

dà shān tā de dǐng duān yǐ mò rù le kōng zhōng de yún
大山，它的顶端已没入了空中的云

tuán shí ér xiàng dōng bian piāo yí shí ér yòu xiàng
团，时而向东边漂移，时而又向

xī bian piāo yí
西边漂移。

zhè jiù shì áo méi shén me liǎo bu qǐ
“这就是鳌？没什么了不起！

hé wǒ men bān mǐ lì yī yàng zhǐ bù guò shì tā de mǐ
和我们搬米粒一样，只不过是它的米

lì dà xiē ér yǐ mǎ yǐ men dà hū shàng dàng
粒大些而已！”蚂蚁们大呼上当。

yú chǔn de mǎ yǐ men zhēn shi yǒu yǎn
愚蠢的蚂蚁们真是有眼

bù shí tài shān wǒ men zuò rén
不识泰山。我们做人，

yī dìng yào duō yī fèn xū
一定要多一份虚

xīn shǎo yī
心，少一

fèn jiāo ào
份骄傲。

后羿射箭

古时候的娱乐可不像今天这么发达，不过大家也有自己的喜好，比如说射箭。

后羿是古代著名的神箭手。一天，夏王让他表演箭术，靶子是用一尺见方的兽皮制成的，正中画了直径为一寸的红心。要说后羿这样射箭，也不是一次两次了，简直不在话下嘛。

“慢！”临射前，夏王突然宣布，“我们就这样看你射箭，没有奖励，多没意思。你射中了，就赏你一万两黄金；射不中，就剥夺你拥有的封地。这样好不好？”

国王的话，谁敢不听？后羿听后，脸色一阵红一阵白，心情怎么也平静不下来。

“就照大王的意思